O terceiro travesseiro

Dados Internacionais de Catalogação na Publicação (CIP)
(Câmara Brasileira do Livro, SP, Brasil)

Carvalho, Nelson Luiz de
O terceiro travesseiro / Nelson Luiz de Carvalho. 15. ed. — São Paulo : GLS, 2016.

ISBN 978-85-86755-43-9

1. Amor - Aspectos psicológicos 2. Homossexualidade masculina 3. Relações interpessoais 4. Romance brasileiro I. Título.

07-4297 CDD-869.93

Índice para catálogo sistemático:

1. Romances : Literatura brasileira 869.93

O terceiro travesseiro

NELSON LUIZ DE CARVALHO

Editora executiva: **Soraia Bini Cury**
Assistentes editoriais: **Bibiana Leme e Martha Lopes**
Capa: **BVDA – Brasil Verde**
Projeto gráfico: **BVDA – Brasil Verde**
Diagramação: **Acqua Estúdio Gráfico**

2ª reimpressão, 2021

Edições GLS
Departamento editorial
Rua Itapicuru, 613 – 7º andar
05006-000 – São Paulo – SP
Fone: (11) 3862-3530
e-mail:gls@edgls.com.br
http://www.edgls.com.br

Atendimento ao consumidor
Summus Editorial
Fone: (11) 3865-9890

Vendas por atacado
Fone: (11) 3873-8638
e-mail: vendas@summus.com.br

Impresso no Brasil

Ao meu filho Lucas
Ao Marcus

"O inferno são os outros."

JEAN-PAUL SARTRE

Entre quatro paredes

AGRADECIMENTOS

Agradeço a colaboração dos amigos Adriano, Cristina, Roberto, Evandro, padre Antônio, e também de Gerson V. Pasquini, padre Sancley Lopes Gondin, Antonia Orlando, Zito Santos, Alex Padalko, Robson A. de Cerqueira, Arlete Rita Braga, José Francisco Queiroz, Idel Arcuschin, João Carlos Deiró, Leandro M. Stocco, Mauro Gertner, Shirley Yamaguchi, Antonio Celso Zambel, Mauricio Hirase, Leticia Barbara Rodrigues de Oliveira e, em especial, de Douglas Peres Rubio.

PREFÁCIO

Desafio e emoção. Assim posso definir o que representou escrever *O terceiro travesseiro*. Tudo começou numa sexta-feira de dezembro. Ao aceitar o convite de Marcus para um almoço, não imaginei que após tratarmos de assuntos comerciais – normalmente me reunia apenas com o pai dele – nossa conversa seguisse por caminhos tão pessoais de sua vida. Vi diante de mim uma seqüência de expressões difícil de explicar numa pessoa tão jovem. Seus olhos vermelhos diziam muito mais que suas próprias palavras.

Por meses sua história invadiu minha vida de forma irreversível, levando-me a decidir contá-la em livro. Vencido o desafio de narrar todos os fatos como exatamente aconteceram, passei a caminhar pelo campo da emoção. A obra foi o resultado de ter convivido, por alguns meses, com os verdadeiros personagens da história – capítulos inteiros foram escritos nos próprios locais dos acontecimentos.

O terceiro travesseiro fala de amor, paixão e liberdade. Reflexivo no final, acredito que sua leitura – indicada para toda a sociedade – venha a contribuir de forma positiva para o fortalecimento do respeito a que todo ser humano tem direito.

1

Agora, andando por esta rua, não consigo deixar de avaliar e refletir sobre tudo aquilo que se passou. Tantos problemas, tanta confusão, muitas mágoas, e para quê? Tenho a impressão de que, se eu tivesse agido diferente, evitado discussões e desgastes desnecessários, o resultado teria sido outro.

A vida é muito estranha, e é uma pena que o vigor físico não seja acompanhado pelo raciocínio lógico da experiência; corpo e mente têm pontos de partida diferentes:

– Cara, onde é que você está?

– Estou aqui.

– Eu sei que você está aí. Estou dizendo para você prestar atenção, vou começar a ler o texto.

Estou aqui, tentando estudar para a prova de português, mas não consigo prestar atenção na matéria. O que será que está errado? Será que tenho algum problema? Não é possível. Já sou um cara adulto, tenho 16 anos e sou normal. De qualquer forma, estes pensamentos são meus, gosto de tê-los e ninguém nunca vai saber.

É difícil prestar atenção com estes pensamentos. Eu acho o Renato um cara bonito. O que mais me atrai nele talvez seja o fato de ele ter mais pêlos do que eu.

Outro dia no ginásio, após o futebol, ficamos todos sentados na quadra descansando um pouco. Fazíamos isso com freqüência, até que um dia percebi que não conseguia deixar de olhar para as suas pernas. Acho que foi aí que comecei a disfarçar uma série de coisas na vida.

2

Sentado no chão, com os joelhos dobrados, de short, meias e tênis, com pêlos cobrindo desde os tornozelos até as coxas, Renato me fazia sentir algo muito estranho. Uma sensação que não sabia explicar, muito boa, mas ao mesmo tempo muito assustadora. Eu não posso ser isso que estou pensando; nem em pensamento consigo dizer essa palavra. Aliás, acho que tudo isso é normal.

Nesse momento, as palavras dele me voltaram à cabeça:

– Tudo ok. Já estamos prontos para a prova de português na segunda-feira e, mudando de assunto, vamos à festa da Cláudia no sábado? Vai ter muita mulher e a gente pode até descolar alguma coisa.

– Fechado, Renato, passo aqui às nove da noite.

– Valeu, cara. Tchau.

Certa vez, numa roda de amigos, alguém disse que na Bíblia está escrito que Deus condena relacionamentos íntimos entre pessoas do mesmo sexo. Acho tudo isso muito estranho, pois também disseram que os anjos não têm sexo. No fundo, essas leis que condenam tudo isso são de Deus ou do homem?

Entrei em casa e fui direto ao banheiro; então ouvi minha mãe:

– É você, Marcus?

– Sou eu, mãe.

– Vê se não se atrasa, a toalha já está no banheiro.

– Não vou me atrasar.

Eu não podia me atrasar, pois havia prometido à minha mãe que a levaria à festa de aniversário da Lídia.

Lídia era sua melhor amiga, e a festa seria no salão do Lions Club, onde todas elas participavam de eventos. Meu pai sempre acompanhava minha mãe em qualquer ocasião, menos em recepções no salão do Lions. Ele achava tudo muito chato.

– Marcus, não demore, não podemos nos atrasar. Sua roupa já está separada na cama.

– Mãe, mais cinco minutos e estou fechando o chuveiro.

Aliás, é no chuveiro onde me sinto mais à vontade. Lá posso pensar nas pessoas de que gosto, imaginando diversas situações, e tudo isso acompanhado de uma bela punheta. No banheiro, que é o meu lugar sagrado, só tenho de tomar cuidado para não esquecer de trancar a porta com a chave, e de não deixar cair porra no chão.

– Marcus?

– Já estou fechando o chuveiro.

Chegamos ao salão e a Lídia já nos esperava na porta:

– Ana, Marcus, ainda bem que vocês vieram. E o Giorgio, por que não veio?

– Você sabe, Lídia, do jeito que ele trabalha naquela editora, não tem vontade de sair à noite, principalmente às sextas-feiras.

– Marcus, fique à vontade, vou roubar a sua mãe por alguns minutos.

– Marcus?

Quando olhei para trás, era Beatriz, uma antiga namorada do Renato.

– Oi, Beatriz.

– Você está sozinho?

– Estou com minha mãe, eu vim apenas acompanhá-la.

– O Renato veio com vocês?

– Não, na verdade eu nem o convidei. Eu só vim por causa da minha mãe.

– Amanhã, na casa da Cláudia, vai ser superlegal; vocês irão?

– Com certeza, já combinei com o Renato.

– Marcus, o que você acha de amanhã esticarmos a noite após a festa da Cláudia? A Sônia vai estar comigo. Você não a conhece, mas ela é uma gatinha. Eu ficaria com o Renato e você, com a Sônia. O que você acha?

– Por mim tudo bem, eu topo. Agora, quanto ao Renato, vai depender...

Beatriz nem me deixou terminar de falar, e afirmou pelo Renato que, por ele, com certeza estaria tudo bem.

Acho essa menina muito arrogante. Como ela podia saber se o Renato estava a fim ou não? Eu tive vontade de mandá-la à merda e, antes que isso acontecesse, era melhor eu me mandar.

– Beatriz, eu vou até o... Já volto.

– Tá legal, gatinho.

Droga de banheiro que não tinha toalhas de papel. Droga de festa, droga de vida, droga de tudo.

Às vezes eu sentia uma vontade enorme de dizer o que pensava, o que queria, mas não, você queria ficar com a Sônia? Claro que sim, eu me sentia um grande imbecil. O que eu gostaria mesmo era de levar uma vida normal, sem mentiras, estando com a pessoa de que gosto e podendo mostrar aos outros o que realmente sentia.

Quando voltei ao salão, Beatriz estava conversando com um casal. Aproveitei para ficar de longe, apenas para observar as pessoas. Todo mundo legal, feliz, e só eu com problemas? Isso não parecia justo.

– O senhor quer uma batida?

Quando o garçom veio oferecer a batida, ao me virar, quase levei a bandeja ao chão. Eu precisava me controlar mais e sair menos de sintonia.

Disse ao garçom:

– O "senhor" está no céu!

E perguntei a ele que sabores tinha.

Ele respondeu:

– Desculpe pelo "senhor". Temos de abacaxi, amendoim e coco.

– Quero de abacaxi, obrigado.

Achei que estava ficando louco, o garçom me chamando de senhor e eu achando o cara uma gracinha. Ele devia ter uns 20 anos mais ou menos, cabelos pretos e curtos e uma carinha de menino. Na cama, devia ser muito gostoso.

A vontade que tinha era de bater uma punheta para ele. Devia ser muito bom estar com um cara na cama, já há dois anos vinha imaginando situações assim. Nunca tive intimidade com nenhum cara, só na imaginação e na punheta.

Mais ou menos no terceiro gole da minha batida, percebi que o garçom lançava olhares estranhos para mim. Fiquei muito nervoso e mal conseguia segurar o copo na mão. O suor corria pelo meu rosto e então larguei o copo e resolvi voltar ao banheiro. Suspirei de alívio ao encostar na pia, mas, para minha surpresa, pelo espelho, o vi novamente me olhando.

– Algum problema com a batida?

– Não. Por quê?

– É que você, depois de alguns goles, veio correndo para o banheiro.

– Mas não é nada, você não precisa se preocupar. A batida estava muito boa.

Tentando acabar a conversa ali mesmo, comecei a lavar o rosto, mas ele continuou a falar:

– Desculpe se eu pareço intrometido, mas é que eu imaginei que você não estava passando bem, e por isso vim até aqui.

– Droga!

Assustado com a minha exclamação, ele perguntou:

– Eu falei alguma coisa que não devia? Se falei...

– Não, não é com você, é que não tem toalhas de papel para enxugar as mãos.

Aliviado, ele disse:

– O faxineiro deve ter esquecido. Eu vou buscar para você.

Enquanto eu esperava ele voltar com as toalhas, fiquei pensando no que estava acontecendo e cheguei à conclusão de que aquele cara só podia estar me cantando, principalmente pela forma como ele me olhava.

Não demorou muito e ele chegou.

– Aqui estão elas.

Eu ainda enxugava as mãos, quando ele disse:

– Posso perguntar o seu nome?

Respondi que era Marcus, e nem precisei perguntar o nome dele, pois, esticando a mão para me cumprimentar, ele falou:

– O meu é José Carlos.

Ele tinha a mão pesada, áspera, como se tivesse trabalhado com enxada, mas mesmo assim era muito bonito e me olhava tão fundo nos olhos, que me deixava completamente despido.

Nesse momento, outro garçom entrou no banheiro.

– Você está aí, José? O chefe está procurando você.

– Diga a ele que eu já estou indo.

Percebi que ele ficou meio sem graça.

– Eu preciso voltar ao salão, Marcus; senão posso perder o emprego logo no primeiro mês.

O que eu achava estranho na atitude de José Carlos é que ele falava de um jeito, como se eu o estivesse segurando no banheiro.

Agradeci a ele pelas toalhas, e, quando estávamos saindo do banheiro, ele falou:

– Depois da festa, se você estiver a fim de levar um papo, eu deixo o serviço às vinte e duas horas, ok?

Não respondi nada a ele. E voltei para o salão, com raiva de mim mesmo por não ter dado a abertura que José Carlos queria.

Na verdade, nós dois queríamos a mesma coisa, mas eu não tive a coragem necessária para ir adiante.

No sábado, cheguei à casa do Renato às dez horas da noite. Ele sabia que eu sempre me atrasava. Toquei a campainha e já estava com a resposta do atraso na ponta da língua: diria que uma hora de atraso não era nada. Mas, para minha surpresa, ele atendeu à porta normalmente. Aí eu disse:

– Não vai reclamar?

– Não, pois não poderemos ir. O Carlos deu para trás. Não vai poder emprestar o carro.

– Mas o seu irmão não disse que iria emprestá-lo?

– Disse, mas ele vai levar a Lúcia ao teatro, e depois vão jantar.

– Renato, então vamos de táxi?

– De táxi? Você está louco! Se arrumarmos um programa, como vamos sair?

– É verdade, você tem razão. E o seu pai não empresta o dele?

– Eles também saíram, foram a uma churrascaria com um casal de amigos e vão demorar a voltar.

No fundo, eu estava adorando tudo aquilo. A vontade que tinha era de dizer para ficarmos ali mesmo, só nós dois, numa boa.

Eu ainda imaginava só nós dois juntos, quando ele falou:

– Já sei, Marcus. Vamos até uma danceteria?

– Danceteria?

– É, a gente pode curtir o lugar numa boa, dançar bastante e ainda podemos arrumar duas garotas que estejam de carro. O que você acha? Vamos?

Meio desanimado, respondi que sim, e então ele perguntou:

– Você não gostou da minha idéia?

– Gostei, Renato.

Não convencido da minha resposta, e achando que eu ainda preferia ir à festa da Cláudia, ele falou:

– Escreve o que eu estou falando, Marcus, se formos sem carro à festa da Cláudia, nós vamos ficar na mão.

Concordei com ele e resolvi não contar nada sobre a conversa que tive com a Beatriz na festa da Lídia; afinal de contas, aquela garota era muito arrogante.

– Marcus, fica ouvindo um som, enquanto eu vou tomar um banho. Aliás, se você quiser beber, tem uísque e gelo no barzinho, meu pai abriu um Chivas para seus amigos antes de sair.

Peguei o Chivas, coloquei uma dose dupla com gelo, dei alguns goles seguidos e liguei o som, que já estava carregado com um CD. Quando dei o play, começou a tocar *The great pretender.* Fiquei curtindo a música e imaginando como seria estar tomando banho junto com Renato. O barulho da água do chuveiro, a música, o uísque... minha imaginação me deixou excitado.

Confesso que, pela primeira vez, não pensei muito e fui até o banheiro. Renato não estava lá, ele já tinha ido para o quarto.

Voltei para a sala, coloquei mais uísque no copo e fui direto ao quarto dele. Fiquei parado na porta, só observando aquele corpo maravilhoso. Ele estava apenas com uma toalha na cintura, procurando roupa na cômoda, quando falei:

– Você quer um pouco de uísque?

– Eu nem o vi entrar, Marcus. Quero um gole, sim.

Ele ainda nem tinha levado o copo à boca, quando eu disse:

– Você é um cara muito bonito, Renato.

Sem levar as minhas palavras a sério, ele falou:

– Você acha mesmo, Marcus?

Sorri e perguntei a ele:

– Você me daria um beijo?

– Se você perguntar de novo, eu prometo pensar no assunto.

Renato só percebeu que não era brincadeira quando me aproximei dele e, com a mão direita, comecei a alisar suavemente o seu peito.

Visivelmente abalado, ele falou:

– O que você está fazendo, Marcus? Você está louco?

– Completamente.

Daí para a frente, e para minha surpresa, ele não falou mais nada e, de olhos fechados, deixou que eu prosseguisse com o meu sonho.

Que sensação incrível eu estava sentindo!

Me aproximei mais ainda dele e comecei a dar beijos muito curtos e suaves no seu peito. Que tesão!

Minha boca mal encostava na sua pele, acho até que ele sentia mais o calor da minha respiração sobre os seus pêlos do que o toque da minha boca.

Esse foi um dos melhores momentos da minha vida, tudo parecia mágico.

Fiz com que se deitasse no chão do quarto e beijei cada parte do seu corpo, a começar pelos pés, que sempre me deram muito, mas muito tesão.

Por vezes, eu não acreditava no que estava acontecendo, apesar de o Renato continuar imóvel e de olhos fechados. Eu tinha todo aquele corpo só para mim. Era tanta coisa a fazer, tantos desejos acumulados nos últimos dois anos, que em alguns momentos eu me perdia.

Fiz com que ele ficasse de bruços. Que bundinha. Comecei então a massageá-la suavemente, para só depois beijá-la de todos os jeitos que o meu tesão pedia.

Novamente comecei a correr com a boca pelo seu corpo, deixando saliva em cada pedacinho daquele território que, naquele momento, era só meu.

Eu lambia suas coxas, quando, num movimento brusco, ele me puxou e enfiou o pinto na minha boca. O gozo foi quase imediato. E, pela primeira vez, eu sentia o que tantas vezes havia imaginado, que era Renato esporrando na minha boca.

Eu não sei se o desejo faz que as coisas se tornem atraentes, mas sei que gostei muito de sentir aquele líquido quente e meio salgado escorrendo pela garganta.

Eu tinha vontade de fazer mais um milhão de coisas, mas percebi que ele estava sem graça, pois, após gozar, se virou de bruços e lá ficou com a cabeça escondida entre os braços, como a se proteger daquela situação.

Na verdade, ele não estava preparado para encarar tudo aquilo que havia rolado entre nós e, respeitando a sua atitude, resolvi ir embora.

Saí da casa dele me sentindo o homem mais feliz do mundo!

Cheguei em casa tão contente comigo mesmo, que o sorriso já era uma expressão permanente no meu rosto. Abri a porta, e de lá mesmo cumprimentei meus pais que estavam na sala. Minha mãe logo percebeu que eu estava diferente e perguntou:

– Você está bem, filho?

– Estou ótimo, mãe. Se melhorar estraga.

Foi tão positiva a minha resposta, que meu pai falou:

– O que aconteceu de tão especial nesta noite, Marcus?

– Nada, pai. É que hoje eu estou me sentindo muito bem.

Sorrindo, ele olhou para minha mãe e me perguntou:

– Qual o nome dela, filho?

Por Deus, que eu quase disse Renato, mas me contive e perguntei a ele:

– O nome dela, pai?

– É, o nome dela?

– Eu não sei, pai.

– Como não sabe?

– Eu me esqueci de perguntar.

Meu pai caiu na risada, enquanto minha mãe inutilmente tentava explicar a ele que a juventude de hoje era assim mesmo.

Minha mãe é superlegal, mas quando começa a querer explicar o comportamento da juventude de hoje, em que ela se acha *expert*, sai de baixo, porque, no mínimo, são duas horas de conversa.

Dei boa-noite a eles e fui direto para o meu quarto. Liguei o som, me joguei na cama e fiquei à meia-luz, sonhando com uma realidade que já fazia parte da minha vida.

Agradeci a Deus pela oportunidade que a vida me dera de poder ter estado, tão intimamente, com o cara que eu amava mais do que tudo nesta vida.

Ainda me sentia superexcitado só de lembrar no que tinha rolado entre nós. E, por diversas vezes, cheguei a pegar o telefone e discar para ele. Mas, na hora H, faltou coragem.

Com certeza Renato havia gostado do que acontecera entre a gente, caso contrário ele não teria deixado rolar tudo aquilo. Mas daí a saber lidar com tudo isso era outra história.

É interessante como as pessoas fazem juízo errado de caras como eu. Quando se pensa em alguém assim, logo se imagina que o cara gosta de se vestir de mulher, gosta de "dar" e gosta de qualquer homem. E isso, pelo menos para mim, não é verdade.

Adormeci pensando nele.

3

No domingo, acordei como se tivesse passado a noite no paraíso. A sensação que tinha era do tipo "estou com a alma lavada". Não tinha nem vontade de levantar da cama. Tudo estava calmo, eu estava calmo. Aquela sensação de turbilhão que me acompanhava tinha ido embora. Acho que foi a primeira vez em que pude ser eu mesmo. Sem mentiras, sem cuidados, sem teatro. E o Renato? Como será que está? Neste momento, minha mãe bateu à porta:

– Marcus?

– Fala, mãe?

O Renato está no telefone. Você fala com ele ou peço para ligar mais tarde?

– Não, mãe. Eu falo com ele agora.

O "turbilhão" ressurgiu dentro do meu peito. Só que, dessa vez, bom.

– Renato? Aqui é o Marcus. Tudo bem?

– Tudo bem, Marcus. Eu acho que a gente precisa falar.

– Tá legal. Como você quer fazer?

– Eu passo aí para apanhá-lo daqui a meia hora, ok?

– Meia hora é pouco tempo. Eu acabei de acordar e ainda nem tomei banho. Que tal daqui a duas horas?

– Fechado, Marcus. Em duas horas eu passo aí.

Ele estava muito frio ao telefone e, além de não perguntar como eu estava, desligou o aparelho logo após a confirmação do horário.

Tomei um banho superdemorado e me contive várias vezes debaixo do chuveiro para não me masturbar. Coloquei camiseta, meia, tênis, um short vinho, que era um dos meus prediletos, e desci para o café.

Meus pais ainda estavam à mesa e, antes que eu pudesse dar bom-dia, meu pai falou sorrindo:

– Só você, filho.

– Só eu o que, pai?

– De não perguntar o nome da moça.

– O senhor ainda está lembrando disso?

Ele sorriu e, enquanto minha mãe servia o café, perguntou:

– Sua mãe e eu vamos almoçar em Embu. Você quer vir com a gente?

– Não dá, pai. Eu e o Renato vamos sair.

– Aonde vocês vão?

– Nós vamos dar um giro pela cidade.

Me passando o queijo, minha mãe falou:

– E aonde vocês vão almoçar, Marcus?

– Sei lá, mãe, mas lugar é o que não falta.

Eu havia dado a primeira mordida no lanche, quando a buzina tocou e, em meio aos protestos para que terminasse de tomar o café da manhã, me levantei da mesa.

Apesar de o Renato já ter vindo me buscar mais de mil vezes para sairmos, era a primeira vez que isso acontecia nessa circunstância, ou melhor, era o meu namorado que estava buzinando e não mais o meu melhor amigo, e isso me deixava excitado e nervoso ao mesmo tempo.

Como é gostoso a gente estar apaixonado por alguém e poder curtir essa! Esse contato de pele, de corpo, de cheiro, é um negócio fantástico.

Respirei fundo antes de sair de casa. Ele estava dentro do carro, de óculos escuros, e não tirou o olhar de mim por um instante sequer. Fiquei tão sem graça que quase não consegui andar em linha reta da casa até o carro. Mas cheguei:

– Tudo bem, Renato?

– Tudo bem, Marcus.

Ele estava muito estranho, tanto que, após colocar o carro em movimento, não falou mais nada. Então perguntei:

– Aonde vamos?

Sem olhar para mim, ele disse:

– Pensei em irmos até Mairiporã.

– Que lugar em Mairiporã, Renato?

– É uma cachoeira num trecho da serrinha que pouca gente conhece. Lá será possível conversarmos à vontade.

– Como você conheceu esse lugar?

– Essa cachoeira fica próxima ao clube de campo de que minha família é sócia. Eu ia muito com o meu pai para lá.

Daí para a frente, e até chegarmos à cachoeira, não trocamos uma palavra sequer.

Chegando lá é que pude perceber o porquê de a cachoeira ser pouco conhecida. Nós deixamos o carro num trecho da estrada e andamos por uns dez minutos numa trilha mato adentro. O lugar era muito bonito e tinha até um pequeno lago que se formava com a queda-d'água.

Sentados numa pedra próxima ao lago, esperei pacientemente que ele começasse a falar. Como isso não aconteceu, eu mesmo puxei o assunto.

– O que está acontecendo, Renato?

Ele não me respondeu, e eu continuei:

– Você está chateado comigo?

A resposta dele não passou de um "não", e então comecei a falar:

– Sabe, Renato, eu gosto de você há pelo menos dois anos. No começo, não sabia definir direito esse sentimento, e por causa disso muita confusão rolou na minha cabeça. Na verdade, você me dava muito tesão, só que eu não queria aceitar isso; mas a vida fez que esse sentimento crescesse dentro de mim de tal maneira que, querendo ou não, você já fazia parte da minha vida, mesmo sem saber.

Ele respirou fundo e perguntou:

– Como você conseguiu controlar esse desejo por tanto tempo?

– Nem sempre eu consegui. No começo, bastava bater uma punheta pensando em você, mas depois...

– Mas depois, o quê?

– Mas depois só a punheta não bastava, e aí comecei a forçar certas situações no nosso dia-a-dia a fim de poder te sentir mais.

– Não entendi, Marcus.

– Estou falando de contato físico, Renato.

– Como assim, Marcus?

– O futebol de salão é uma delas. Eu sempre quis jogar no time adversário ao seu, só para poder entrar em dividida com você.

Ele me olhou admirado, e então expliquei:

– De que outra maneira eu poderia encostar o seu corpo no meu com tamanha intensidade? Sem contar que na dividida é um "vale-tudo".

Ele continuava me olhando, quando eu comecei a rir.

– Do que você está rindo?

– Lembra a sua cueca que sumiu no acampamento?

– Não, você não fez isso...

– Fiz, Renato. Fui eu quem a pegou.

Ele começou a rir.

– E eu achei que tivese sido a Beatriz. E o que você fez com a minha cueca?

– Nada de mais, eu só queria ter alguma coisa sua.

Renato já se sentia bem mais à vontade, e então eu perguntei:

– Vamos falar um pouco de você?

Sorrindo, ele disse:

– Como são as coisas, não? A gente tem amizade há tanto tempo, e a impressão que eu tenho é a de que estamos nos conhecendo agora.

Ele acendeu um cigarro e começou a falar:

– O meu caso é um pouco diferente do seu. Você sabe que eu curti bastante o que rolou ontem entre a gente, só que eu nunca associei esses sentimentos a alguém do sexo masculino.

Percebendo que eu estava confuso, explicou:

– Eu não sei se é normal, acho até que não é, mas numa relação sexual, eu tanto tenho tesão na frente como atrás. Eu adoro quando uma mulher me chupa o pau, mas também adoro quando sou chupado atrás. A diferença entre a gente, Marcus, é que eu nunca imaginei ser chupado por um homem.

– Isso quer dizer que eu dancei, Renato?

– Não, Marcus. Isso quer dizer que você deixou uma confusão enorme na minha cabeça, pois mesmo tendo tesão atrás, nunca me senti homossexual por isso.

– Renato, se ontem fosse a Beatriz quem tivesse te chupado, seria a mesma coisa?

– Não, não seria a mesma coisa. Eu gostei de ficar com você.

– Como você pode ter tanta certeza disso?

– Porque o que você e eu fizemos ontem, eu já fiz inúmeras vezes com a Beatriz, e pode ter certeza de que é diferente.

Confesso que fiquei chocado com a resposta dele. Nunca poderia imaginar os dois fazendo aquilo, ainda mais a Beatriz, que é toda cheia de frescura.

Levantando-se, ele falou:

– Vou até o carro buscar um maço de cigarros que deixei no porta-luvas e já volto.

– Tá legal.

Ele já estava a caminho, quando eu gritei:

– Renato? Tem algum lugar aqui perto que venda cerveja?

– Perto não, mas tem uma garrafa de vodca no carro. Vamos encarar?

– Vamos, traga a garrafa.

Ele não demorou muito a voltar e, me dando a vodca que já estava aberta, disse:

– Vamos tomar na garrafa mesmo. Essa aqui é da boa.

– Foi você quem comprou?

– Não. Esta vodca é do Carlos, mas depois eu falo com ele.

Após alguns minutos de silêncio, eu retomei o assunto:

– Renato, você sempre me viu como amigo? Quero dizer, você nunca pensou em nada diferente?

– Eu sempre achei você um cara bonito, Marcus, mas, até ontem, nada de diferente entre nós passava pela minha cabeça.

– E hoje?

Ele sorriu antes de responder.

– Hoje já passa.

Ele acendeu um cigarro, deu uma tragada e disse:

– Sabe o que eu acho, Marcus? No fundo, nós dois somos exatamente iguais. Ontem à noite eu também tive vontade de tocar em você, e só não fiz isso porque me faltou coragem.

Começamos a nos beijar lentamente, enquanto as nossas mãos corriam, também de forma lenta, em descoberta pelos nossos corpos. Nós estávamos namorando.

Com as mãos, ele explorou cada detalhe do meu corpo, até me deixar completamente nu, de roupa e de alma.

Dessa vez fui totalmente conduzido por ele, que, colocando o pinto entre as minhas pernas, mas sem penetração, cavalgou sobre mim diversas vezes.

É difícil encontrar palavras que descrevam o que senti naqueles momentos que me lembravam uma cavalgada.

O instante maior aconteceu quando ele jorrou todo aquele esperma quente em cima de mim. Foi nessa hora que me senti totalmente dele.

Continuamos nas pedras, só que dessa vez deitados um do lado do outro, nus e olhando para o céu.

Ficamos em silêncio por um bom tempo, até que ele falou:

– Você está legal?

– Muito.

– Você gozou, Marcus?

– Não, mas eu já estou acostumado.

– Como está acostumado?

– É a segunda vez que a gente sai e que eu não gozo.

Nós dois rimos muito e, depois de um breve silêncio, perguntei:

– Você quer ser meu namorado?

– Eu só vou responder se você fizer essa pergunta olhando para mim e não para o céu, Marcus.

Virei-me para ele, que continuava deitado, e quase boca a boca perguntei:

– Você quer ou não?

– Quero, lógico que quero. Agora você é meu, só meu.

Nos abraçamos e fiquei com a cabeça encostada sobre o seu peito por um bom tempo. Nessa hora, me senti um menino que, enquanto tinha os cabelos afagados pelo cara que amava, viajava em pensamentos, de tanta felicidade que sentia.

Eu ainda curtia tudo aquilo quando ele perguntou:

– O que nós vamos fazer agora, Marcus?

– Já que você não me fez gozar, eu iria sugerir que nadássemos um pouco. Isso se a água não estivesse tão gelada.

– Eu estou falando sério, Marcus.

– Eu também, Renato.

Caímos na risada. Então falei seriamente:

– Agora que estamos juntos, nós temos o mundo todo pela frente e ninguém precisa saber o que rola entre a gente.

– Mas e se as pessoas desconfiarem de alguma coisa, Marcus?

– Desconfiar do quê? Nós somos grandes amigos. Sempre fomos.

– Talvez você...

Interrompi as palavras dele:

– E tem mais, Renato, nós não somos efeminados e nunca seremos.

– Talvez você tenha razão, Marcus, mas será que a gente consegue levar tudo isso numa boa?

– Eu não tenho dúvida e acho que você está se preocupando demais.

– Você está certo, Marcus. Esqueça o que eu falei.

Saímos de lá pouco antes de escurecer com um desejo não realizado, o de nadar no pequeno lago. A água estava muito fria.

4

Já estávamos nos aproximando do Natal. Cinco meses haviam se passado e nós continuávamos apaixonados. Quanta coisa nós aprontamos nesses meses. Ninguém nunca desconfiou de nada. Nesse tempo todo, Renato foi se soltando cada vez mais, tanto que, entre nós, limite era uma palavra que não existia.

Quando fomos acampar com a turma do colégio, no feriado do dia Sete de Setembro, tivemos de arrumar o maior esquema, em que Renato fez par na barraca com a Ana Cláudia, e eu com a Débora, que, diga-se de passagem, era um tesãozinho.

Se por um lado o "proibido" nos deixava às vezes putos da vida, por outro nos excitava, pois criava uma cumplicidade imensa entre a gente.

Não foi por acaso que forçamos a barra para ficar com a Ana Cláudia e a Débora. Na verdade, as duas possuíam uma "característica" que muito nos interessava, ou seja, não enxergavam um palmo além do nariz e viviam no mundo da lua, sonhando com príncipes encantados ou coisas assim.

As únicas construções além da casa do administrador que o *camping* de Peruíbe possuía eram os banheiros. E foi lá que quase fomos descobertos.

Eu tinha acabado de acordar e estava lavando o rosto, quando o Renato entrou e de surpresa me abraçou por trás:

– Bom dia.

– Puta susto, cara.

– E aí, Marcus? Transou com a princesinha?

Não respondi nada a ele, e perguntei:

– E você? Transou com a Ana Cláudia?

– Metemos.

Confesso que essa situação era meio estranha e, para que isso não me incomodasse, o melhor era não levar a coisa muito a sério.

Começamos a brincar de fazer cócegas um no outro e quando nos demos conta já estávamos excitados. Renato queria a todo custo me fazer uma chupeta. Ele disse que a minha porra seria o seu café da manhã.

Tentei convencê-lo de que não seria uma boa idéia, pois nem banho eu havia tomado ainda. Não adiantou nada, ele ficou mais excitado ainda.

Na brincadeira, dei uma de difícil e fui praticamente arrastado por ele até um dos boxes. Ele fechou a porta, me encostou na parede, desceu o meu short até os joelhos e, antes de começar a chupar, perguntou:

– Ontem você comeu a Débora?

– Hã, hã.

– O cheiro dela ainda está aqui.

Ele ficou superexcitado em saber que eu havia comido a Débora na noite anterior, e começou a chupar o meu pau num ritmo acelerado.

Só sei que foi um tesão vê-lo agachado à minha frente, me chupando e se masturbando ao mesmo tempo.

Não demorou muito e gozei na boca dele. Como de costume, ele não deixou derramar nenhuma gota de porra no chão, engolindo parte dela, e passando a outra para a minha boca, num beijo.

A princípio, tudo isso pode parecer nojento, porém é muito excitante e, afinal de contas, só faço isso com o meu namorado. Em relação a outros homens, somos religiosamente fiéis um ao outro. Nunca transamos com outros caras e quando transamos com mulheres sempre usamos camisinhas.

De repente, o banheiro encheu de gente e não dava mais tempo para sairmos do boxe. Fiz o Renato ficar sentado no vaso sanitário e eu fiquei de pé, encostado numa das paredes, com o cesto de papel higiênico à frente dos meus pés. Mesmo com um trinco sem-vergonha, a porta do boxe estava fechada, porém não ia até o chão, ficando com um espaço aberto de mais ou menos um palmo.

Ficamos nessa situação ridícula por mais de uma hora, esperando o banheiro esvaziar. E, para ajudar, eu ainda tinha esperma do Renato escorrendo pela minha perna.

Também transávamos muito na minha casa. Meu pai sempre trabalhando, minha mãe com "mil" compromissos na comunidade e eu, como filho único, tinha a casa toda para nós.

Eu e Renato chegamos a passar um fim de semana inteiro sem sair de casa. O nosso mundo começou numa sexta-feira à noite, quando meus pais foram para um sítio passar o fim de semana.

Estávamos dentro de um táxi, indo para casa, quando Renato falou:

– E aí, Marcus, você acha que não tem perigo de os seus pais voltarem antes do tempo?

– Claro que não, meu pai é do tipo programado, com ele tudo tem que ser pensado antes.

– Marcus, que tal comermos um cheese salada antes de irmos para a sua casa?

– Você está com fome?

– Morrendo.

– Ok. Só que a gente pede para viagem e come em casa.

– Fechado.

Compramos quatro lanches, dois para cada um. Sentamos no sofá da sala, liguei a televisão e, quando íamos começar a comer, o Renato disse:

– Marcus, me empresta o seu lanche?

– Para quê?

Ele insistiu:

– Empresta?

Dei o lanche para ele e fiquei esperando para ver o que acontecia. Renato tirou o lanche do saquinho e começou a bater uma punheta sobre o hambúrguer.

– No meu lanche não. Vai ficar uma bosta!

– Não vai não.

– Se não vai, então coma você.

De nada adiantou eu falar. Ele esporrou com tudo no meu lanche e disse:

– Pronto! Agora você já pode comer.

Rindo, eu disse que não iria comer. Ele insistiu:

– Você quer que eu faça aviãozinho, Marcus?

– Eu não vou comer.

Acabei cedendo às pressões dele e comi o cheese salada, depois de levar muitos beijos no pescoço e na nuca. Na verdade, comemos o lanche juntos e, por incrível que pareça, foi bom. Adormecemos no sofá.

Acordei de madrugada com a garganta seca, e fui até o banheiro para escovar os dentes. Aproveitei para tomar um banho.

Fiquei pensando se realmente eu era um cara normal, não pelo fato de transar com um cara, mas sim pelas loucuras que nós fazíamos. O que será que duas pessoas fazem numa relação considerada normal?

Já estava debaixo do chuveiro quando Renato entrou no banheiro:

– Faz tempo que você acordou, Marcus?

– Não, acordei quase agora.

– Posso usar a sua escova de dentes?

– Claro. É a escova amarela que está dentro do armarinho.

Colocando creme dental na escova, ele falou:

– E aí, alemãozinho? Gostou do cheese salada especial?

Quando ele me chamava de alemãozinho, a sensação que tinha era a de que ele sentia um certo poder sobre mim, e eu gostava disso. Aliás, fisicamente, nós éramos bem diferentes, a começar pela altura. Ele com mais ou menos um metro e oitenta, e eu com só um metro e sessenta e dois. Outra grande diferença também estava na cor dos cabelos: eu, loiro; e ele, com os cabelos bem pretos.

Já estava fechando o chuveiro quando ele pediu para eu não sair, que ele iria entrar. Tentei convencê-lo de irmos para a suíte dos meus pais, onde tinha banheira com hidromassagem, mas, dizendo não, ele já foi entrando debaixo do chuveiro. Então falei:

– Pensa só no que nós faríamos numa banheira, Renato.

Me abraçando, ele falou:

– E você acha que eu não sei, alemãozinho?

– Então vamos, Renato?

Me acariciando, ele disse:

– No próximo banho a gente vai para a suíte. Agora, eu quero curtir você aqui.

– Tá legal, Renato, mas antes de você me deixar de pau duro, deixa eu fazer outra coisa com ele.

Eu já saía do boxe quando ele me puxou pelo braço e perguntou:

– Você vai mijar?

– Lógico, Renato, o que mais eu faria com o meu pau?

Ele me olhou de uma forma estranha e falou:

– Mija em cima de mim, Marcus.

– Você está louco, Renato? E se você pegar uma doença?

– Se nós tivéssemos de pegar alguma doença, já teríamos pegado. Há quantos meses a gente já engole porra um do outro? E tem mais, você só vai mijar em cima de mim.

Ele se abaixou e eu apontei para o seu peito, começando a mijar. Renato segurou o meu pau e mudou a direção para o seu rosto, e assim eu mijei até o fim. Confesso que foi uma sensação tão incrível, que o fiz mijar em mim também.

Só sei que nós aprontamos de tudo naquele fim de semana. Até vitamina de frutas com porra batida no liquidificador nós tomamos.

Só não aprontamos da noite do sábado para o domingo, porque o cansaço que a gente sentia era tão grande, que resolvemos ir dormir cedo. Não eram oito horas da noite quando entramos na suíte dos meus pais e praticamente nos jogamos na cama. Eu estava tão esgotado, que nem me lembro de ter dado boa-noite a ele.

Acordei no domingo me sentindo uma nova pessoa. Espiritualmente, a impressão que eu tinha era a de que, de alguma forma, certo “equilíbrio” havia sido restabelecido dentro de mim. Fisicamente, eu acordei envolvido pelo corpo do Renato, que me abraçava por trás de um jeito muito especial.

Com cuidado para não acordá-lo, saí da cama bem devagarzinho e, no quarto mesmo, sentei numa das confortáveis poltronas da minha mãe.

O sol, tentando entrar pelas frestas da veneziana, criava uma atmosfera diferente na suíte, que por si só já era muito bonita, com todos aqueles móveis italianos distribuídos de forma muito bem pensada.

Sentado na poltrona que pertencera à minha avó Elizabeta, e que fora restaurada por minha mãe, me senti literalmente envolvido por quase um século de história. E isso me fez pensar que eu deveria dar um novo rumo à minha vida.

Observando-o dormir de bruços e quase nu naquela imponente cama, me veio a certeza de que, por mais difícil que fosse, eu estaria disposto a enfrentar tudo e todos para poder viver com ele ao meu lado para sempre.

Enquanto ele dormia, aproveitei para colocar a casa em ordem. A bagunça era generalizada, porém a copa e a cozinha eram campeãs da desordem, e foram justamente elas que me deram mais trabalho.

Tomei um banho e fui para a sala; curtindo um som, adormeci no sofá e fui acordado por ele com um beijo:

– Dormiu bem, Marcus?

– Muito bem. E você?

– Dormindo abraçado a um anjo, o que você acha?

Confesso que me senti sem graça ao ser comparado a um anjo e, sem responder nada a ele, perguntei:

– Você tomou banho de perfume?

Ele respondeu rindo:

– Por quê? O cheiro está tão forte assim?

– Um pouco.

Juntos, fomos para a cozinha tomar café, pois eu já havia preparado tudo.

Ele ainda comentava sobre a minha disposição de, sozinho, ter arrumado a casa, quando falei:

– Eu quero viver com você, Renato.

– Mas nós estamos vivendo juntos, Marcus.

– Eu estou falando na mesma casa.

Me olhando fundo nos olhos, ele falou:

– Você tem idéia do que está falando, Marcus?

Colocando a minha mão sobre a dele, eu disse:

– Tenho mais do que uma idéia, Renato. Tenho a certeza daquilo que quero na vida. E na vida eu quero você.

Debruçando-se à mesa, ele me beijou e disse:

– Eu também quero viver ao seu lado, mas para isso nós precisaríamos abrir o jogo aos nossos pais, e aí a barra pode pesar.

Com a voz abafada, falei:

– Eu sei que pode pesar, mas não vejo outro jeito.

Levantando as sobrancelhas num gesto de que também não sabia a resposta, ele perguntou:

– Por que você mudou de opinião tão de repente?

– Não foi tão de repente assim. Eu já venho pensando nisso há algum tempo.

Sorrindo, ele disse:

– Confesso a você que também já sonhei com essa possibilidade, mas...

A ansiedade em falar era tanta que acabei interrompendo as palavras dele:

– Se os meus pais me apoiarem, nós teremos um apartamento para morar e dinheiro para vivermos bem até que possamos arrumar emprego, Renato.

– Acho que você está sonhando demais, Marcus!

– Não estou não, Renato. Além de dinheiro, meu pai tem alguns apartamentos alugados e, pode ter certeza, para ele não representaria nada financeiramente arrumar um apartamento de graça para a gente morar.

– Eu não sabia que o senhor Giorgio estava tão bem assim, mas não é disso que estou falando, Marcus. O que...

Novamente tentei interrompê-lo, mas ele não deixou, e continuou a falar:

– Eu acho, Marcus, que três coisas vão pegar. Primeiro é a sua idade, você só tem 16 anos; em segundo lugar, você é filho único e, em terceiro, eles não vão aceitar a idéia de que o filho deles é um... Você entendeu.

– Só que eu sou, Renato, e ninguém pode mudar isso. Se os meus pais souberem da verdade agora ou daqui a dois ou três anos, para eles vai dar no mesmo; agora, para nós, isso representa mais três anos perdidos.

Levantei da mesa e continuei a falar, agachado ao seu lado:

– Renato, eu não vou pedir nada a eles agora. A única coisa que eles saberiam seria da minha opção sexual. Feito isso, o tempo se encarregaria do resto.

Ainda sentado, só que de frente para mim, ele falou:

– E se eles não aceitarem essa nova situação, Marcus?

– Eu prefiro não pensar nisso, Renato, mas se acontecer e você gostar de mim do jeito que eu gosto de você, só teria um jeito, cara: colocar a mochila nas costas e meter o pé na estrada.

Os olhos dele brilharam. Começamos a nos beijar, fizemos amor no chão gelado da cozinha e decidimos que ainda naquele dia contaríamos a verdade aos nossos pais.

Renato foi para a casa dele e eu fiquei esperando os meus pais voltarem do sítio. Deitado no sofá da sala, curtindo um CD do Ivan Lins, fiquei imaginando quantos caras deviam sentir o que eu sentia. Mas que, por vergonha ou sei lá o que, preferiam viver uma vida mentirosa, ou pior ainda, uma vida totalmente sem graça.

O meu pai sempre me ensinou que a gente deve brigar, e muito, por aquilo em que acredita e de que gosta, pois, caso contrário, ficaríamos sempre num lugar comum ou simplesmente viveríamos apenas porque respiramos.

5

O nervosismo tomou conta de mim na hora em que os ouvi entrando. A porta ainda nem estava aberta quando eu descobri uma grande vantagem em contar a verdade a eles dali a três anos. Mas já era tarde demais, pois nessa altura do campeonato o Renato já deveria ter contado tudo aos pais dele.

– Marcus?

Era minha mãe entrando em casa.

– Tudo bem, filho? Você pode ajudar seu pai a pegar algumas coisas no carro?

Voltei para a sala carregando um enorme saco de laranjas.

– Mãe, onde eu ponho isto?

– Coloque na cozinha, filho.

Meu pai gritou da garagem:

– Marcus? Me ajude a pegar o saco de batatas.

Carregando as batatas para a cozinha, perguntei à minha mãe se eles não haviam exagerado na quantidade de coisas que haviam trazido. Ela me respondeu que ainda era pouco, que na verdade tudo aquilo seria enviado para a creche na segunda-feira.

Eles entraram, se acomodaram e, enquanto minha mãe fazia o tradicional café de domingo à tarde, fiquei pensando em qual seria a melhor forma de contar a eles. Seria falando com os dois ou com apenas um deles? Mas, também, se fosse com apenas um, qual deles seria? Minha mãe sempre foi de entender o problema dos outros, tanto que ela participa de inúmeros projetos na comunidade. Quanto a meu pai, era difícil saber. Nós pouco conversamos. Na verdade eu não sabia muita coisa dele.

Fiquei na sala com eles, esperando o momento certo para falar. Na verdade, eu me sentia cada vez mais impaciente por não saber como começar. Ao mesmo tempo que desfrutava toda a intimidade que uma família podia ter, eu também me sentia distante deles em diversos assuntos.

O tempo foi passando, e quando o cuco marcou oito horas da noite tive a certeza de que não poderia esperar mais. Minha mãe fazia tricô e meu pai quase dormia assistindo à TV, quando me levantei e, próximo ao aparelho de som, falei:

– Pai, mãe, eu preciso falar com vocês.

Como sempre, minha mãe foi a primeira a responder:

– Pode falar, filho.

– Pai, mãe, não é assim que eu quero falar.

Quando eu disse isso, meu pai olhou para mim com um ar de preocupação e perguntou:

– Aconteceu alguma coisa, filho?

Eu não respondi, e ele tornou a perguntar:

– Fala, filho! Aconteceu alguma coisa?

– Aconteceu, pai, ou melhor, vem acontecendo.

Assustados, os dois olharam para mim.

– Posso desligar a TV, pai?

Desliguei a TV e sentei no sofá menor quase de frente para eles. Meu pai não tirava os olhos de mim, e minha mãe, já sem o tricô nas mãos, num gesto nervoso, esfregava uma mão na outra.

Respirei fundo antes de continuar:

– O que tenho para falar é muito sério, e nem sei como começar.

Antes que eu pudesse pensar em como prosseguir com a conversa, meu pai perguntou:

– Você está envolvido com drogas, meu filho?

Antecipando-se a mim, minha mãe respondeu que não. Meu pai pediu para ela ficar quieta, pois era eu quem deveria responder isso. Quando vi que minha mãe retrucaria, intervim dizendo:

– Pai, mãe, não briguem agora. Esta situação é muito difícil para mim.

Meu pai voltou a perguntar:

– Fala, filho, o problema é esse mesmo?

– Não, pai, não estou envolvido com drogas.

Nitidamente aliviados, eles até suspiraram e, daquele momento em diante, eu já não tinha mais a atenção deles.

Totalmente descontraído, meu pai passou por mim, ligou a TV e foi para a cozinha pegar uma latinha de cerveja. Na volta, sentou-se no sofá e disse:

– Filho, pode falar o que é. A minha preocupação maior era o seu envolvimento com drogas, e já que bicha você também não é, não existe nada pior.

Eu nem sei definir direito como as palavras dele me atingiram, e a única coisa que eu queria naquele momento era estar morto.

Minha mãe pegou o telefone dizendo que pediria uma pizza, que eu estava fazendo uma tempestade num copo d'água e que mais tarde nós conversaríamos. Ela já definia com o meu pai se a pizza seria de calabresa ou não quando eu, num ato de desespero por perder o controle da situação, desliguei a TV e gritei com ela para que colocasse o telefone no gancho. Levantando-se, meu pai disse para eu não gritar com minha mãe. Respondi que eles não me deixavam falar. Então ele gritou:

– Fala de uma vez, poxa!

– Eu sou homossexual, pai.

Senti que a casa caiu.

Com a expressão no rosto de quem não estava entendendo nada e fazendo gestos com as mãos, ele olhou para minha mãe em busca de uma palavra. Palavra esta que não existiu, pois ela, ajoelhada e com as mãos no rosto, já chorava compulsivamente.

Eu continuava de pé no mesmo canto da sala, quando ele se aproximou de mim e, me segurando pelos ombros, disse gritando:

– Você é bicha?

– Pai, não use essa palavra.

Ele não parava de gritar:

– E o que importa a palavra? O que importa é que você gosta de homem. Meu Deus! Meu filho é uma bicha. Quer ser mulher.

– Pai, eu não quero ser mulher.

– Cala a sua boca!

Nessa hora, ele me deu um soco. Eu ainda estava caindo sobre a estante do som, quando ele veio de novo para cima de mim. Minha mãe veio ao meu socorro e conseguiu fazer que ele parasse. Levantei com a boca sangrando e fui correndo para o meu quarto. Tranquei a porta com a chave e fiquei na cama.

De lá, eu podia ouvir os gritos do meu pai. Eu estava muito assustado, e o meu coração batia tão rápido, que parecia que explodiria dentro do meu peito. Nunca o tinha visto daquele jeito.

Ao ouvir barulho de passos pesados na escada, percebi que ele estava subindo e, sem saber o que fazer, mesmo com a porta do quarto trancada, me escondi embaixo da cama.

Ele gritava e dava murros na porta.

– Abra essa porta, Marcus!

Minha mãe tentava interferir, dizendo para ele se acalmar, mas não adiantava, ele continuava a gritar e a esmurrar cada vez mais.

Acho que, se ele tivesse conseguido entrar, com certeza teria me matado, tamanho era o descontrole em que estava.

Quando me dei conta da situação, o silêncio já se fazia presente na minha casa, mas era tão grande o medo que eu sentia que, mesmo com sangue na boca, continuei debaixo da cama. Lá adormeci e fiquei até o dia seguinte.

Pela manhã, apesar de toda a confusão que havia criado na noite anterior, acordei com a sensação de que tinha feito aquilo que era necessário fazer.

Eu estava com um gosto horrível de sangue na boca e precisava urgentemente de um banheiro. A nossa casa era grande, tínhamos três banheiros, mas o meu quarto não era uma suíte. Abri a porta do quarto bem devagarzinho e fui para o banheiro do corredor.

Depois de um banho bem demorado, eu já me sentia bem melhor. Tentei descer as escadas sem fazer barulho, mas era impossível. A nossa escada era de madeira e rangia muito. Estava no corredor de baixo, quando vi minha mãe sozinha na cozinha. Ela estava sentada à mesa, de cabeça baixa, como a pensar.

– Mãe?

– Oi, meu filho.

Me sentei à mesa e ela se levantou perguntando se eu queria café com leite ou chocolate. Respondi que queria café com leite. Eu estava morrendo de fome, pois no domingo não havia almoçado nem jantado.

Após me servir o café, ela se sentou novamente à mesa. Dei alguns goles e, preparando um sanduíche de queijo, perguntei:

– Mãe, e o pai?

– Foi trabalhar, Marcus.

Ela não conseguia olhar para mim, e continuava de cabeça baixa.

– Mãe, nós precisamos conversar. A senhora está muito chateada comigo?

– Não, meu filho. Estou pensando onde foi que eu errei.

– Mãe, a senhora e o papai não erraram em nada. Ninguém escolhe ser assim. Não é uma questão de educação. É uma coisa que vem de dentro da gente.

Ela olhou bem para mim e perguntou:

– O Renato também é?

Eu tinha de dizer a verdade a ela, mas de um jeito que não a chocasse muito. Em momento algum eu podia me referir a ele como sendo meu namorado.

– Ele também é, mãe. Na verdade, nós estamos juntos.

Assustada, ela me perguntou:

– Como juntos, meu filho?

– Juntos, mãe.

– Então foi o Renato que te levou para esse caminho sem Deus, filho?

– Não, mãe. Ninguém levou ninguém a lugar nenhum. Eu e o Renato somos exatamente iguais. E também não me considero sem Deus no coração.

– Isso que você quer fazer, Marcus, é errado. Deus não aceita.

– Mãe, não é uma questão de querer, e sim de ser. Eu sou assim, nasci assim.

– Você não sabe o que está dizendo, filho. Você não nasceu desse jeito e não vai viver desse jeito. Qual a religião do Renato?

– Acho que é católica, mãe. Por quê?

Ela não me respondeu e continuou a falar:

– Sabe, Marcus, eu acho que esse desvio moral só aconteceu com você porque está muito distante de Deus. Não vai a uma igreja, não reza, não participa dos centros comunitários...

Interrompi as palavras dela, dizendo que tudo isso não tinha nada que ver com religião, mas foi inútil. Ela insistia que, desse jeito, eu não teria Deus no coração.

Já estava terminando o meu café quando a campainha tocou e apressadamente minha mãe foi atender à porta. Da cozinha, ouvi sussurros na sala, e aí me chamaram.

Para minha surpresa, quando entrei na sala fui apresentado para um senhor com 50 e poucos anos de idade, de fala mansa, que se vestia de uma forma um tanto quanto antiquada – era o padre Antônio.

Minha mãe disse que havia pedido a ele para vir conversar comigo. Confesso que fiquei muito sem graça, principalmente após ela ter nos deixado sozinhos na sala. O padre também não se sentia à vontade, tanto que após nos sentarmos, eu é que tive de puxar a conversa.

– Tudo bem, padre?

– Tudo em ordem, meu filho.

Quando ele ia começar a falar, minha mãe entrou na sala trazendo uma xícara de café. Serviu o padre Antônio e disse que não nos interromperia mais. Depois de um primeiro gole, o padre Antônio começou:

– Sua mãe me procurou hoje bem cedo a respeito da conversa que vocês tiveram ontem à noite, e é sobre isso que eu gostaria de falar com você, Marcus.

Confesso que fiquei impressionado com a rapidez com que minha mãe tinha chamado o padre.

– Sabe, Marcus, isso que você quer fazer não pertence ao plano de Deus. Deus com certeza não quer isso para o homem.

Achei melhor ficar quieto, enquanto pausadamente o padre Antônio falava:

– Deus criou a espécie humana em dois gêneros: masculino e feminino e, portanto, como você pode ver, não foi criado por Deus um terceiro gênero. Masculino e feminino são expressões complementares daquilo que é próprio de Deus.

Ele falava de um jeito, como se estivesse revelando a mim todos os segredos do mundo.

– Sabe, Marcus, o direito canônico de 1913, que é anterior ao código atual, diz que o casamento tem como fim primário a geração dos filhos e a educação da prole. Como fim secundário, vem o bem dos esposos. O novo código possui uma vertente mais personalista em que o casamento visa, como fim único, o bem dos esposos, a geração dos filhos e a educação da prole.

Confesso que estava me sentindo um verdadeiro extraterrestre conversando com um padre. Muita coisa do que ele falava eu não compreendia e, quando entendia, não fazia muito sentido, como a definição de casamento.

– O sexo, Marcus, que é próprio do ser humano e não de Deus, não pode ser praticado de forma mecânica. O sexo só é aceito no casamento, no qual já existe estabilidade de união, de vínculo de amor, de amizade e de afeto, ou seja, o sexo é uma expressão daquilo que na realidade já existe.

Após me sentir "catalogado" pelo padre Antônio, resolvi perguntar:

– O senhor está dizendo que perante Deus é errado ser homossexual?

Ele pensou muito antes de responder.

– Às vezes uma amizade profunda, Marcus, pode se tornar dependência afetiva. Por isso, é importante refletir bastante para que as coisas não se misturem.

Novamente perguntei a ele:

– Padre, é errado ser homossexual?

Ele respondeu quase que imediatamente:

– É ilícito ser homossexual. A homossexualidade é uma etapa que estacionou e não chegou a se completar, em que não houve uma vertigem pelo feminino. Eu diria que é uma fase homófila.

Não era fácil conversar com o padre Antônio, mas, mesmo assim, fiz mais uma pergunta:

– É errado tentar ser feliz, padre?

– Claro que não, Marcus. É próprio do ser humano buscar a felicidade. Agora, temos de aprender a controlar nossos impulsos, não deixando em livre curso todas as vontades. O prazer é inerente à sexualidade, porém não é correto buscar prazer pelo prazer.

Terminamos a nossa conversa com ele se referindo à caridade pastoral e me convidando a freqüentar mais a igreja, bem como a participar de grupos de trabalho dentro dela.

Antes de sair, o padre Antônio deixou claro que a única coisa da qual eu não poderia participar no momento seria a eucaristia. Trocando em palavras mais comuns, eu estava proibido de receber a hóstia.

Me despedi do padre Antônio e já estava na escada subindo para o meu quarto quando ele me chamou:

– Marcus?

– Sim, padre.

– Venha até aqui, meu filho. Por favor.

Segurando as minhas mãos, ele falou:

– Tudo o que nós falamos também se aplica ao seu amigo. Qual é o nome dele, filho?

– Renato, padre.

– Pois bem, eu gostaria que você refletisse sobre tudo aquilo de que nós falamos, e junto com seu amigo Renato fosse visitar a nossa paróquia.

– Tudo bem, padre. Eu prometo pensar.

Me despedi dele e subi para o meu quarto.

6

Após o almoço, fiquei no meu quarto tentando analisar toda a situação. Achei absurda a visita do padre Antônio, que apenas repetiu parte daquilo que eu já sabia, só que com palavras um milhão de vezes mais complicadas: que a sociedade não aceitava o meu gosto sexual e que, na insistência desse desejo, seria condenado por Deus.

No fundo, a visita dele me serviu para duas coisas. Primeiro, foi conversando com ele que percebi que o aparelho de som da sala – presente dos meus pais no último Natal – havia se quebrado. Segundo, eu não sabia que era proibido a um homossexual receber a hóstia.

Novamente pensei nos meus pais. Seria certo colocar os meus sentimentos acima de tudo? Mas então não adiantaria mais nada. Eu já tinha falado. Era um caminho sem volta.

E meu pai? Como será que ele estava? Será que iria querer me bater de novo? Acho que não. Ele estava muito nervoso.

E o Renato? Como será que ele estava? E na casa dele, será que tinha dado tudo certo? Como será que tinha sido? Eu não podia telefonar para ele de casa. Minha mãe poderia ouvir na extensão e não gostar. Aliás, nem de um orelhão poderia ligar, pois se a mãe dele atendesse, eu nem sabia o que falaria. Que merda!

As horas foram passando e eu não agüentava mais ficar trancado no quarto. Resolvi descer. Eu precisava de ar para respirar. Minha mãe estava lavando louça na cozinha com o rádio ligado e nem me ouviu descer.

Fui para o quintal, que ficava ao lado da cozinha. Sentei-me no chão e, encostado na parede, fiquei pensando no Renato e nas loucuras que havíamos feito no último fim de semana.

Da cozinha já não se ouvia barulho nenhum. Pelo arrastar de uma cadeira, dava para imaginar que minha mãe estava sentada à mesa. O silêncio da casa só foi quebrado quando meu pai chegou, e foi aí que me toquei que não deveria ter descido. Voltar para o quarto sem que eles me vissem seria impossível, pois a velha escada de madeira iria me delatar. Meu pai chegou calmo, beijou minha mãe e também sentou-se à mesa. Nessa hora eu tinha medo até de respirar para não fazer barulho. Então meu pai perguntou para minha mãe:

– E aí, Ana, como está o rapaz?

Minha mãe respondeu que eu estava bem e que não tinha ido ao colégio. Imediatamente, meu pai exclamou:

– Graças a Deus ele não fugiu!

Fiquei espantado com a afirmação dele. Nunca me passou pela cabeça fugir de casa. Eu não teria para onde ir.

Nesse momento, meu pai começou a desabafar com minha mãe:

– Sabe, Ana, eu tenho muito medo de toda essa história. O mundo não foi feito para pessoas assim. A sociedade não aceita isso. Eu não consigo imaginar o nosso filho se envolvendo com drogas e, você sabe, nesse mundo diferente, é uma questão de tempo. Ana, você também parou para pensar que ele pode querer se vestir de mulher? Ana, Ana, Ana, eu não agüentaria isso. Eu não consigo imaginar o nosso filhinho com um homem na cama. Eu prefiro morrer primeiro.

Lágrimas corriam pelo meu rosto. Eu tinha vontade de chorar soluçando, mas não podia. Gostaria de entrar na cozinha, abraçá-los, beijá-los e dizer que nada disso aconteceria.

Novamente o silêncio tomou conta da casa. Depois de algum tempo, minha mãe disse:

– Giorgio, eu conversei com o Marcus e ele disse que o Renato também é. Acredito até que eles estejam juntos.

Novamente o maldito silêncio. Ele nada respondeu. No quintal, eu ficava ainda mais aflito, pois nem a expressão do seu rosto podia ver.

Com a voz embargada e com muita emoção, meu pai disse:

– Lembra, Ana, quando o Marcus tinha 3 anos de idade? Eu tocava a campainha e ele já vinha gritando: "Mamãe! Mamãe! É o papai. Abre a porta. Mamãe! Mamãe!" E quando eu entrava, ele vinha correndo para o meu colo. E na hora de dormir? Lembra, Ana? Pelo menos cinco historinhas por noite. Não tínhamos mais o que contar. O Papai Noel já se misturava com a Chapeuzinho Vermelho, que encontrava os Três Porquinhos e que iam todos viajar no tapete mágico. Ana? Lembra da caneta no Dia dos Pais? Ele me deu de presente, dizendo: "Marquinho presente papai". Lembra Ana? Era só eu esquecer a caneta em algum lugar e lá vinha ele: "Marquinho presente papai". Ele achava que eu tinha de estar sempre com a caneta.

Novamente o silêncio.

– Por que, Ana, justo com o nosso filho? Não vou permitir que façam dele uma pessoa inferior.

Desta vez, o silêncio não foi absoluto. Eu podia ouvir meus pais chorando bem baixinho. Que vontade de dizer a eles que eu ainda era o mesmo Marcus! Eles tinham de enxergar isso. Meu pai se levantou e disse que ia tomar um banho. Minha mãe foi junto. Aproveitei o momento para voltar ao meu quarto.

Foi a primeira vez em que ouvi meu pai chorar. Ele sempre foi tão certo, tão controlado, tão frio. Meu pai era diretor-geral de uma editora de livros e revistas, na qual tinha também participação acionária. Eu acho que ninguém o entendia direito. A começar pelos diretores que se reportavam a ele: todos, sem exceção, moravam em condomínios fechados. E nós, num sobrado, que era bom, mas não condizia com a nossa realidade social. Minha mãe o apoiava em tudo e também achava desnecessário mudarmos para uma casa maior.

– Marcus? O jantar já está na mesa, estamos esperando você.

Ao ouvir minha mãe me chamando, desci as escadas com o firme pensamento de que tudo daria certo. Sua voz estava quase normal e isso significava que eles já haviam decidido alguma coisa. Os dois estavam à mesa me esperando, e antes mesmo que eu pudesse cumprimentar meu pai, ele disse:

– Tudo bem, filho?

– Tudo bem, pai.

Percebi que os dois estavam diferentes. A sensação que eles me passavam era de que, pela primeira vez, o mais importante era eu. Os meus problemas sempre haviam ficado em segundo plano. Nunca tinham sido importantes. Quase com freqüência, quando eu começava a contar alguma coisa, no meio da história era interrompido – ora por meu pai, ora por minha mãe. E o que me deixava mais puto da vida: eles nem perguntavam o final da história. Acho isso uma falta de respeito muito grande. Tenho a impressão de que, se numa dessas vezes eu tivesse dito: "Comi merda", eles nem perceberiam. Para minha mãe, o mundo girava em torno da comunidade, e para meu pai só a empresa era importante. Tirando os últimos acontecimentos, acho que a coisa mais séria sobre a qual eles falaram comigo foi quando meu pai, em apenas três minutos, me entregou uma caixa de camisinhas e disse:

– Agora, com a Aids, quando você começar a sair, use camisinhas.

Virou as costas e foi ver televisão. Isso aconteceu quando eu tinha 15 anos, foi há um ano. Eu lembro que tinha uma série de dúvidas, mas ele não deu abertura, virou as costas e foi embora.

Quando eu estava me servindo de batatas fritas, meu pai segurou uma das minhas mãos e disse:

– Filho, me desculpe pela agressividade de ontem.

Essa era a abertura de que eu estava precisando. Parei de me servir, coloquei o prato de batatas sobre a mesa e, olhando para ele, disse:

– Pai, o senhor não precisa se desculpar.

Ele tentou retrucar e eu falei:

– Pai, não fale nada agora. Me deixe falar. O senhor não precisa se desculpar. Eu tenho consciência do tamanho do problema que joguei para vocês. Se existisse no mundo alguma forma de modificar esse sentimento, eu o faria. Para mim tudo isso é muito doloroso. Me custa muito remar contra a maré. Me custa muito viver baseado numa grande mentira. Desde os meus 13 anos eu sinto isso. O senhor e a mamãe também erraram em algumas coisas, sim. O senhor se lembra da caixa de camisinhas um ano atrás? O senhor me entregou a caixa, virou as costas e foi embora. Eu tinha dúvidas, pai. Nós nunca conversamos direito, pai. Com tudo isso, eu quero apenas mostrar a vocês que nós três temos problemas. Que nós precisamos conversar mais, não só sobre a editora onde o senhor trabalha ou sobre os problemas da comunidade de que a mamãe sempre fala. Nós temos de falar da gente também. Mas, mesmo que tudo isso fosse diferente, eu continuaria a sentir a mesma coisa que sinto. O que sinto, pai, vem de dentro de mim. Acho que nada pode mudar isso. Sabe, pai, continuo sendo a mesma pessoa, estudo, tenho boa educação, respeito os mais velhos, não fumo, não uso drogas e não sou promíscuo. Sabe, pai, apesar de sentir o que sinto, eu sou homem. Nunca vou me vestir de mulher. Nunca vou querer usar uma calcinha. Eu gosto de ser homem. Ontem o senhor me chamou de bicha. Essa palavra dói muito, pai. Não quero carregar comigo nenhum rótulo, seja ele bicha, gay ou o que for. Outra coisa, pai, acho até que a mamãe já falou para o senhor, eu estou com o Renato. Já estamos juntos há quase seis meses. E a gente se gosta muito. Acho também que vocês não têm a obrigação de conviver com tudo isso. E se quiserem, eu vou embora. No começo eu só precisaria de uma pequena ajuda sua, pai. O senhor sabe, não tenho dinheiro.

Minhas últimas palavras foram acompanhadas de muitas lágrimas. É difícil conceber a idéia de me separar dos meus pais. Comecei a chorar.

Levantei da mesa me desculpando e ao mesmo tempo chorando muito. Eu não conseguia controlar o choro. Meu pai se levantou, me puxou pelo braço e nós nos abraçamos. Minha mãe também se juntou a nós. Nessa hora nós três chorávamos muito.

– Não, filho, você não precisa sair de casa, não é, Ana? Nós três faremos o melhor possível. Viveremos com muita dignidade. Filho, filho, filho, nós o amamos!

Naquela noite nós nem jantamos. Acho que ninguém tinha fome. Quando se passa por um momento de muita emoção, invariavelmente o que vem a seguir são situações pouco confortáveis. Isso foi o que aconteceu após nos abraçarmos.

Minha mãe arrumava a cozinha, enquanto meu pai e eu estávamos na sala fingindo assistir à TV. Aliás, se não fosse a TV, nós dois ficaríamos muito sem graça. Na verdade nós teríamos de adaptar o nosso dia-a-dia a esta nova realidade, e isso, com certeza, seria muito difícil.

Eu não tirava os olhos da televisão, mas o meu pensamento estava com o Renato. Que vontade de falar com ele. Será que ele estava bem? Por que será que ele ainda não tinha me ligado? Será que aconteceu alguma coisa? Não, não devia ter acontecido nada de grave. Ele devia estar esperando que eu telefonasse primeiro. Afinal de contas, os pais dele sempre foram mais abertos que os meus.

Percebi que meu pai estava impaciente no sofá. Achei que ele queria falar alguma coisa e então perguntei:

– Pai, o senhor quer falar alguma coisa?

– Quero filho.

Se virando para mim, ele disse:

– Marcus, agora que estamos mais calmos, eu preciso dizer a você que continuo não concordando com tudo isso, mas aceito em respeito a você. E já que tem de ser assim, vamos agir com a maior dignidade possível. Você entendeu?

– Claro, pai.

Apesar de ele ter dito que me aceitava do jeito que eu era, bastava olhar nos seus olhos para saber que ele só estava fazendo isso por absoluta falta de opção.

– Outra coisa, Marcus, a partir de amanhã vamos retomar todos os nossos compromissos. E isso, para você, inclui o colégio, ok?

Imediatamente concordei com ele. Ir para o colégio era o que eu mais queria, pois seria lá que finalmente encontraria Renato.

– Mais uma coisa, Marcus, e o Renato?

– Como assim, pai?

– Os pais dele já sabem?

– Já, pai. Ele contou no domingo à noite.

– E?

Com as mãos fiz um gesto de que não havia entendido a pergunta e ele disse:

– Eu estou querendo saber o que os pais dele acharam de tudo isso.

– Eu não sei, pai, a...

Ele me interrompeu, perguntando:

– Como não sabe, Marcus?

– É que a última vez que falei com o Renato foi no sábado, pai.

– Então você não tem certeza se ele realmente contou aos pais dele, Marcus.

– Tenho sim, pai. Nós havíamos combinado no sábado que contaríamos tudo a vocês no domingo.

Achei melhor não falar nada a ele sobre Renato e eu termos passado o fim de semana juntos.

E assim nós terminamos a noite.

– Boa noite, meu filho.

– Boa noite, pai.

7

Que ansiedade! Cheguei ao colégio uma hora antes do horário de entrada, já haviam se passado trinta minutos e ele ainda não tinha chegado. A minha vontade, ao vê-lo, era de sair correndo e dar um puta abraço nele. Imagina, se eu fizesse isso, a bosta que daria. Também não seria legal ficar no portão. O pessoal iria passar e perguntar se eu não entraria ou quem estava esperando. Mas tudo bem. Só não queria encontrar a Beatriz, não estava com saco para jogar conversa fora com ela.

– Marcus?

Quando olhei para trás eu não acreditei.

– Carlos? Você aqui! E o Renato?

Ele não me respondeu, e novamente perguntei:

– Fala, Carlos! E o Renato?

Quando ele pediu para que o esperasse voltar da secretaria, percebi que nada estava tão bem assim.

A angústia que eu sentia ao esperar o irmão do Renato voltar fez que poucos minutos se transformassem em horas. Já estava quase indo atrás do Carlos, quando ele voltou:

– Marcus, vamos conversar em outro lugar. O carro está logo ali.

Entramos no carro e paramos a poucos quarteirões do colégio, numa rua pouco movimentada.

Nunca tive muito contato com o Carlos. Ele devia ter mais ou menos 26 anos e estava noivo. Isso era tudo que eu sabia dele.

Por diversas vezes esperei que Carlos começasse a falar, mas ele estava agitado demais para isso. Com certeza não sabia como começar, então eu o ajudei:

– Carlos, estou mais nervoso que você. Por isso, respire fundo, cara, e se acalme para que possamos conversar.

Ele tentava relaxar quando eu falei:

– Carlos, pelo menos me diga se o Renato está bem!

Acendendo um cigarro, ele falou:

– Agora ele está bem, Marcus.

Ele continuava travado, então falei abertamente:

– Olha, Carlos, se faz mal a você conversar comigo, tudo bem, cara. Eu só quero saber de você como faço para falar com o seu irmão. Se ligar para a sua casa, consigo falar com ele?

Finalmente ele começou a falar:

– Você interpretou tudo errado, Marcus, não tenho nada contra você. É que apesar de ter sido sem querer, tenho vergonha do que aconteceu no fim de semana em casa.

Respirou fundo e continuou:

– No domingo, Marcus, as coisas ficaram muito feias em casa. Ele e o meu pai brigaram. O Renato está internado no hospital. O meu pai não machucaria o próprio filho. Foi muita confusão. Ele estava muito nervoso e acabou acertando sem querer a barriga do Renato com uma faca de cozinha.

Eu não acreditava no que estava ouvindo. O que fizeram com a pessoa mais importante da minha vida?

Com as mãos no rosto e com a cabeça quase sobre o colo, eu tentava controlar o choro, quando fui abraçado pelo Carlos. Também chorando e afagando os meus cabelos, ele disse:

– Eu sei que não é fácil, Marcus. Mas, agora, está tudo bem. Ele não corre risco de vida nenhum, e só está no hospital se recuperando.

Com as mãos ele enxugou as lágrimas do meu rosto e disse:

– Vocês foram corajosos. Não deve ser fácil assumir uma situação como essa.

– Carlos, eu preciso vê-lo. Em que hospital ele está?

– Se quiser, eu levo você lá agora.

– Eu quero.

– Outra coisa, Marcus, no hospital nós dissemos que o Renato caiu na cozinha e sozinho espetou a faca na barriga. Aliás, foi praticamente isso o que aconteceu. O próprio Renato confirmou toda a história para o policial de plantão no pronto-socorro. Portanto, o nome do meu pai nem aparece no boletim de ocorrência. Ok?

– Ok, Carlos.

O único sentimento que eu tinha naquele momento era o de indignação. Por que será que as pessoas faziam isso? Por que um sentimento tão verdadeiro podia incomodar tanto os outros?

A atitude do Carlos para comigo foi uma surpresa. A caminho do hospital, conversamos bastante e em momento algum eu me senti recriminado por ele.

Chegando ao hospital, Carlos pediu para que eu ficasse esperando num corredor próximo ao saguão, enquanto ele subia para ver se não havia ninguém no quarto. Quando disse isso, estava claro para mim que os seus pais não me queriam por perto.

Enquanto esperava, fiquei tentando entender como o "seu Júlio" pôde ser tão violento. Ele sempre foi mais aberto que meu pai. Toda vez que nos encontrávamos, ele contava uma piada. Ele é do tipo de pessoa que está sempre bem.

Fui interrompido pela voz do Carlos.

– Pode subir, Marcus. Quarto 701, 7º andar.

– Você não vem comigo, Carlos?

– Não, Marcus, é melhor eu ficar aqui mesmo. Se alguém aparecer, eu subo antes para avisar.

– Valeu, Carlos.

Envolvido por uma enorme ansiedade, quase não conseguia esperar o elevador chegar ao 7º andar. Aquela droga parava em todos os andares.

Percebendo minha agitação, uma senhora que estava ao meu lado perguntou:

– Algum parente?

– Eu não entendi o que a senhora falou...

– Você veio visitar algum parente?

– Eu vim visitar o meu namorado.

Estupidamente falei o que não devia. O elevador estava lotado e todos, surpresos com a minha resposta, me olharam espantados. Tentei corrigir o mal-estar, que já era generalizado, dizendo:

– Eu estou brincando. Na verdade eu vim visitar o meu primo.

Desci no saguão do 7º andar com a impressão de que ninguém havia acreditado em mim, mas, também, isso agora pouco importava.

– Pois não?

– Eu vim visitar o paciente do quarto 701.

– No corredor à esquerda.

– Obrigado.

Parei em frente à porta do quarto e, antes de abri-la, tentei mudar um pouco o meu estado de espírito. Renato estava num hospital e eu não podia entrar com o astral para baixo. Respirei fundo, dei duas batidas suaves na porta e entrei.

O quarto estava escuro. Quando a porta se abriu, a luz do corredor sorrateiramente invadiu o ambiente. E como um refletor, fez brilhar o sorriso mais bonito do mundo: o de Renato.

Demorei um pouco a me aproximar da cama, então ele falou:

– Não ganho um beijo do meu namorado?

Fui me aproximando cada vez mais e, debruçado sobre ele, com todo o cuidado e lentamente, começamos a nos beijar. Esse beijo foi tão especial, que através dele eu podia sentir uma enorme troca de energia entre a gente. Esse beijo foi tão grande, mas tão grande, que por ele o meu corpo inteiro se sentiu beijado.

Definitivamente, nós nascemos um para o outro. Para mim não existe vida sem ele.

Beijos, misturados com palavras, foram aos poucos nos trazendo de volta à Terra. Na realidade, essas palavras não eram mais do que sussurros, que ecoavam dentro de cada um, já que a distância entre os nossos lábios não existia.

– Por que você faz isso comigo, Renato?

– Isso o que, Marcus?

– Você me derruba, cara.

– É que agora você é todo meu, Marcus.

– Eu gosto tanto de você, Renato, que às vezes isso me assusta.

– Você não precisa ficar assustado. Eu sempre vou estar ao seu lado.

– Você promete, Renato?

– Prometo... Aaaai!

– Você está com dor? Eu não devia ter te beijado tanto tempo.

– Eu não sinto dor nenhuma.

– Então por que você gemeu?

– É que eu quero te impressionar de alguma forma.

– Como você é bobo.

Rimos e ele perguntou:

– Marcus, como é que seus pais receberam a notícia?

– Não foi fácil, mas agora está tudo bem. Depois a gente fala sobre isso.

– Sabe o que eu mais quero depois desse beijo, Marcus?

– Não, o quê?

– Uma Coca-Cola com rodelas de limão e bastante gelo.

Eu ainda estava debruçado sobre o meu namorado, quando de repente a porta do quarto se abriu e a mãe dele entrou.

Por impulso me afastei da cama e, sem saber o que fazer, disfarcei um certo equilíbrio emocional que não tinha e a cumprimentei:

– Boa tarde, dona Inês.

Eu diria que ela estava mais desorientada do que eu e, num tom de voz firme, ela disse:

– O que você está fazendo aqui, moleque?

Fiquei branco e antes que pudesse pensar em alguma coisa, o Renato falou:

– Mãe, isso não é jeito de falar com o Marcus! A senhora...

Ela nem deixou que o Renato terminasse de falar. Virou as costas e saiu do quarto demonstrando muita raiva.

Tentando me tranqüilizar, Renato disse que o acidente de domingo, com a faca, interrompeu a conversa deles no meio, mas que tudo estaria resolvido em breve, e era só uma questão de tempo para ela aceitar.

Nesse momento, assustado, Carlos entrou no quarto:

– Marcus, é melhor você ir embora.

Olhando para o Carlos, Renato falou:

– Por que você não nos avisou que a mamãe estava subindo?

– Eu me distraí um segundo, Renato, e quando a vi, ela já estava entrando no elevador.

Eu quase não pude me despedir do Renato, pois segurando no meu braço, como a querer me puxar, Carlos amigavelmente forçava uma saída rápida para mim.

No corredor foi ainda pior. Eu estava indo com Carlos para o elevador, quando dona Inês parou à minha frente. Ela continuava muito nervosa e com a voz alterada perguntou:

– O que você quer com o meu filho?

Eu não sabia o que fazer. O que eu iria responder?

Nessa hora, Carlos interveio e disse a ela que ali não era o lugar para falarmos sobre aquilo. Mas não adiantou:

– Fala, moleque, o que você quer com o meu filho?

O *show* havia começado. Muitas pessoas – entre pacientes, enfermeiras e visitantes – já olhavam para nós.

– Olha, moleque, você tem idéia da desgraça que você trouxe para a minha família? Não, não deve ter, você não tem educação para isso. A vontade que eu tenho...

Carlos tentou persuadi-la a parar.

– Mãe, vamos embora. Pára com isso...

Ela ficou com mais raiva ainda.

– E você não se meta na conversa, Carlos. Só o que me faltava agora é você também achar que esse delinqüente juvenil está certo!

Percebendo a roda de pessoas que se formou à nossa volta, ela falou mais alto ainda:

– Você está com vergonha, Marcus? Por que você não fala para estas pessoas do que você gosta?

Uma enfermeira, que estava quase ao nosso lado, pediu para que ela falasse mais baixo, pois ali era um hospital.

Ela nem ouviu a enfermeira e continuou:

– Olha, moleque, eu não quero ver você mais aqui. Aliás, eu não quero ver você nunca mais. Saia já daqui, saia já daqui, saia já daqui!

Saí correndo pelo corredor e nem sei como desci as escadas.

Já na rua, com a respiração ofegante, eu pensava: por que, meu Deus? Essa mulher não tinha esse direito. Só uma pessoa muito estúpida faria o que ela fez.

– Marcus?

Era o Carlos correndo em minha direção.

– Ainda bem que eu te encontrei. Você está legal?

– Não dá para ficar legal, Carlos. A sua mãe... Deixa para lá.

– Eu peço desculpas por ela, Marcus. Minha mãe sempre foi muito nervosa. Ela perde o controle muito facilmente.

– Tudo bem, Carlos, você não teve culpa. Eu acho que devo ter chutado muita cruz quando criança. Você vê outra explicação?

Rimos e nos abraçamos.

– Eu levo você para casa, Marcus.

– Não precisa, cara. É melhor você ficar com a sua mãe.

– Mas como você vai embora, Marcus?

– Eu pego um táxi.

– Tá legal.

Ele ficou me olhando de um jeito diferente e aí eu perguntei:

– Você quer me falar mais alguma coisa, Carlos?

– Quero. Eu sei que deve ser difícil para você, mas deixe as coisas se acalmarem em casa, que a gente, eu quero dizer, que o Renato procura você. Ok?

– Ok.

Mais um abraço e mais uma frustração. Por mim, ficaria direto no hospital junto com o Renato. Ficar separado dele, ainda mais num momento tão delicado como este, iria me custar muito ao coração. Afinal de contas, parte da minha vida estava no quarto 701 daquele maldito hospital.

Comecei a chorar, andei muitos quarteirões para poder me acalmar e só então peguei um táxi e fui para casa.

8

Dois meses haviam se passado e estávamos apenas a uma semana do Natal. Nesse tempo todo não tive nenhum contato com Renato. Mesmo contra a minha vontade, fiz exatamente o que Carlos havia me pedido. Saí de cena, para dar tempo ao tempo. Mas o vazio que eu sentia por dentro só aumentava. Não agüentava mais esperar.

Do jeito deles, meus pais tentavam me ajudar. Minha mãe voltou a falar mais comigo, já não era mais uma sombra do meu pai. Este, por sua vez, arrumava sempre um passeio novo para nós três a cada fim de semana. Eu lembro que, quando havia lhes contado sobre o acidente do Renato, eles ficaram muito preocupados e, pela expressão no seu rosto, não gostaram nem um pouco. Meu pai chegou até a dizer que se eu quisesse ir ao hospital para visitar o Renato, ele me acompanharia. Para não magoá-los, nunca contei o que tinha acontecido lá.

Deixando um pouco os meus sentimentos de lado, o Natal era a única coisa que agitava aquela casa. Além dos meus avós – quem eu quase não via –, minha mãe convidou vários parentes. Ela dizia que queria uma festa muito grande, com bastante comida, bebida e gente.

Meus avós maternos, os únicos ainda vivos, moravam em Jundiaí. A casa deles era muito bonita. Tinha um jardim enorme. Me lembro das festas de ano-novo que sempre passávamos lá: eram muito boas. Quando chegava a meia-noite, enquanto nós cantávamos a música da passagem do ano, meus avós – do andar de cima, pela janela do quarto – ficavam atirando pratos em direção à rua. Nós somos descendentes de italianos e minha avó dizia que quebrar pratos na passagem do ano dava muita sorte.

Eu nunca soube direito se esse costume de quebrar pratos era italiano ou não. Só sei que, ao longo do ano, todos os pratos trincados, lascados ou parcialmente quebrados eram guardados para, na passagem de ano, serem atirados ao chão. Meus avós faziam isso com grande entusiasmo e acreditavam que, com isso, todos os males do ano não os acompanhariam para o ano seguinte.

Enquanto relembrava tudo isso, a música me veio à cabeça. Eu nunca soube o nome dela, mas era mais ou menos assim:

ADEUS ANO VELHO
FELIZ ANO-NOVO
QUE TUDO SE REALIZE
NO ANO QUE VAI NASCER
MUITO DINHEIRO NO BOLSO
SAÚDE PRA DAR E VENDER

Parei de sonhar quando minha mãe me chamou:

– Você está pensando em que, Marcus?

Nós estávamos sentados no sofá da sala, onde minha mãe lia um livro e eu, simplesmente, pensava.

– Por que, mãe?

Sorrindo, ela disse:

– É que eu estava reparando em você. Seus olhos brilhavam muito.

Deitando no sofá com a cabeça sobre o colo da minha mãe, desfrutei um afago fantástico nos cabelos, que só ela sabia fazer.

– Mãe?

– Fala, filho.

– Eu não acredito que Deus seja tão lógico e insensível como o padre Antônio falou.

– O padre Antônio falou isso, Marcus?

– Com outras palavras, sim. Ele disse que isso Deus aceita, aquilo Deus não aceita.

– Por que você está pensando nisso agora, filho?

– Por nada, mãe, eu só estava pensando.

Ficamos bastante tempo no sofá e minha mãe só se deu conta do horário quando meu pai chegou da editora.

Ao vê-lo entrar, exclamou:

– Meu Deus, não fiz o jantar!

Meu pai entrou, nos beijou, foi até a cozinha, pegou uma latinha de cerveja, sentou no sofá e disse:

– Já sei. Vamos pedir uma pizza. Meia portuguesa e meia mussarela. O que vocês acham?

Concordamos com ele, só que trocamos a meia mussarela por meia de atum, com cobertura de catupiry.

Fazia tempo que a gente não ficava assim em casa. Nós três estávamos muito bem, apesar de tudo.

Enquanto minha mãe telefonava para a pizzaria, meu pai aproveitou para tomar um banho. Quando meu pai chegava em casa, a primeira coisa que ele fazia era pegar uma latinha de cerveja e, bebendo, ia para o banho. Minha mãe sempre reclamava dele. Ela dizia que não era um bom exemplo para mim. Ele respondia que isso não tinha nada de mais.

Quando a campainha tocou, minha mãe e eu estávamos na cozinha, e meu pai, descendo as escadas, gritou:

– Deixa que eu atendo o rapaz da pizza. Já estou com o cheque na mão.

Me sentei à mesa, enquanto minha mãe acabava de pegar os talheres.

Após meu pai ter atendido a porta, percebi um certo silêncio na sala e então gritei da cozinha:

– Está tudo bem aí, pai?

Ele respondeu:

– O Renato está aqui, Marcus.

Ao ouvir isso, tive a sensação de que o chão havia desaparecido. Minha mãe, então, parecia querer entrar na geladeira. Acho que se ela pudesse, teria feito isso.

Quando entrei na sala, meu pai estava pegando a pizza. Acho que o entregador chegou logo após o Renato. Meu namorado estava muito bonito, do jeito que eu gostava, de jeans, tênis e camiseta branca por dentro da calça.

Nos cumprimentamos com um sorriso e um aperto de mãos. Minha mãe entrou na sala, totalmente sem graça, e fez o mesmo, perguntando:

– Você está melhor, Renato?

– Sim, dona Ana, praticamente já não tenho mais nada.

Meu pai, visivelmente abalado, continuava parado na porta segurando a pizza. Convidei Renato para jantar conosco e fomos os quatro para a cozinha. Não imaginava que um encontro desses pudesse ser tão leve. Imaginava algo mais pesado.

E meus pais? Eles foram ótimos. Tenho de agradecer a Deus por ser filho deles.

À mesa, por vezes precisei segurar o riso. Não podia me lembrar do lance da minha mãe com a geladeira. Afinal de contas, o momento era sério e meus pais estavam muito nervosos. Então comecei a lembrar do dia em que minha avó Elizabeta morreu. Eu tinha de ficar sério de qualquer jeito.

Após minha mãe ter servido pizza para o Renato, ela perguntou-lhe:

– Você está melhor, Renato?

Eu não acreditei. Ela fez a mesma pergunta de novo. Segurei o riso. Não sei se tudo era realmente engraçado ou era eu que estava me sentindo muito feliz. Tinha vontade de dizer para minha mãe: "Tudo bem, eu seguro o riso, mas vê se a senhora colabora!"

Por vezes percebi que meu pai tentava participar, mas ele não conseguia falar. No fundo, toda essa situação devia ser muito difícil para os dois.

Ao final do jantar, minha mãe me surpreendeu, dizendo que ela e meu pai iriam subir para que nós, Renato e eu, pudéssemos conversar. Meu pai despediu-se do Renato com um cumprimento de mãos; e minha mãe, com um beijo. Eu e Renato continuávamos sentados à mesa, quando ouvimos um barulho mais forte na escada. Então gritei da cozinha:

– Aconteceu alguma coisa, mãe?

– Não é nada, meu filho, foi o seu pai que escorregou na escada.

Eu e Renato tivemos que colocar a mão na boca para não rir. Então, olhei para ele e disse:

– Eles não são ótimos?

Não devia ter dito isso, na verdade saiu sem querer. Eu não sabia o que tinha rolado na casa dele, porém, com certeza, as coisas não deviam estar tão bem quanto estavam na minha.

Concordando, Renato disse:

– Eu soube o que rolou no hospital, o Carlos me contou. Imagino o quanto deve ter sido difícil para você. E estou pedindo desculpas pela minha mãe. Ela não tinha o direito de fazer o que fez.

Respondi que tudo bem e perguntei:

– E como as coisas estão agora?

Ele começou a rir e disse:

– Você quer mesmo saber?

– É lógico que eu quero, não estou entendendo você.

Ele se levantou da cadeira, fez que eu me levantasse e, com o seu corpo, me encostou numa das paredes da cozinha. Com sua boca quase grudada na minha e bem baixinho, ele disse:

– Em casa está tão bem quanto aqui!

Fiquei surpreso, e, antes que pudesse falar alguma coisa, ele começou a me beijar. Estávamos dando um puta amasso na cozinha, quando ouvimos o barulho de alguém descendo as escadas. Era minha mãe, que fazia um barulho excessivo, como a dizer: "Estou chegando".

Imediatamente paramos e sentamos à mesa da cozinha. Nós não poderíamos ficar de pé naquele momento.

Minha mãe desceu, perguntou se estava tudo bem e foi à geladeira pegar um copo d'água. Renato perguntou a ela:

– Dona Ana, vocês vão passar o Natal aqui em São Paulo?

Ainda de frente para a geladeira, com a porta aberta e tomando água, minha mãe respondeu que sim, passaríamos o Natal lá em casa mesmo, com alguns parentes.

Ele continuou:

– Eu gostaria de trazer os meus pais para cumprimentá-los na noite de Natal. Nós também vamos passar em casa.

Minha mãe não respondia. Continuava a encher o copo e a beber água, até que o Renato se levantou, foi em sua direção:

– Dona Ana, olhe para mim. Não precisa ficar sem graça comigo. E se continuar a beber água desse jeito, a senhora vai passar mal.

Nesse momento, os dois sorriram e Renato, abraçando-a, disse:

– Eu sei que deve ser muito difícil para a senhora toda essa situação. Mas pense, dona Ana, é difícil para todos nós, para mim, para o Marcus, para o senhor Giorgio e para os meus pais. Quando eu pensei em trazê-los na noite de Natal, é porque acho que seria mais fácil para todos. Primeiro porque é Natal e segundo porque a casa vai estar cheia de gente.

Com lágrimas nos olhos, minha mãe disse que se sentiria muito envergonhada. Ele a abraçou novamente:

– O que a senhora está me dizendo, eu já ouvi de minha mãe. Eles também estão muito envergonhados. Um dia vocês vão se encontrar. Por que não agora?

Antes de voltar para o quarto, ela disse que conversaria com meu pai, mas que o convite já poderia ser feito aos pais dele.

Renato sempre me surpreendia e eu o admirava por isso. Não teria coragem de fazer com a mãe dele o que ele fez com a minha. Aliás, não era uma questão de coragem, e sim de vontade.

Após minha mãe ter subido, Renato foi até a geladeira para guardar a garrafa d'água. Aproximando-me dele, abracei-o por trás e disse:

– Não é gostoso ser abraçado por trás e de surpresa?

– É muito gostoso, Marcus. E se você fosse um pouquinho mais alto seria melhor ainda.

– Eu posso ser pequeno, Renato, mas aquilo é grande.

– Que coisa baixa você falou agora, Marcus.

Rimos e, já abraçados de frente, ele falou:

– Eu sei que o seu é maior e mais grosso que o meu, Marcus, mas eu não estou com você por causa disso.

– Eu estava só brincando, Renato.

– Que tal você brincar com algo mais interessante?

– O que, por exemplo?

Ele desceu a calça jeans e a cueca até os joelhos e, sentando no gabinete da pia, falou:

– Olha como ele está triste. Acho que ele precisa de um beijo seu, Marcus.

– Eu acho que não, Renato. Ele deve estar com sono. Olha como ele está mole.

– Tenho certeza de que, se você mexer nele com a boca, ele vai ficar bem esperto, Marcus.

– E se ele não ficar esperto?

– Ele fica, Marcus. E se tem uma coisa que ele adora, é quando um certo alemãozinho passa os seus lábios macios sobre a sua cabeça.

– Acho que você está certo, Renato. Só que vou começar por outro lugar.

Sem pressa, deixei-o totalmente nu da cintura para baixo e então comecei suavemente a beijar seus pés. Ele foi às alturas e eu pude curtir com todo o tempo do mundo uma das coisas que mais gostava de fazer.

– É bom demais, Marcus. Você me deixa louco.

Aos poucos fui alcançando as suas pernas e já lambia as suas coxas, quando ele, se masturbando, esporrou com tudo no meu rosto. A sensação foi incrível.

Suspirando, Renato falou:

– Que tesão, Marcus.

– Você gostou?

– Demais, cara. Venha aqui me dar um abraço.

Ele continuava sentado no gabinete da pia, quando me levantei e nos abraçamos. E foi nesse abraço, acompanhado de muitos beijos, que nós ficamos totalmente lambuzados com o esperma que ele havia jorrado no meu rosto, pescoço e cabelos.

Depois de um banho de gato, fomos para a sala curtir um som. Eu fiquei do jeito que queria: deitado no sofá, com a cabeça sobre o seu colo e ouvindo música enquanto ele afagava os meus cabelos.

– Você sentiu saudade de mim, Marcus?

– Muita, Renato. E você?

– Quase nada. Na verdade eu conheci um enfermeiro...

Fiquei puto! E antes que pudesse falar alguma coisa, ele disse:

– Calma, Marcus! É brincadeira.

– Que brincadeira idiota.

– Desculpe. Não queria te deixar chateado.

Silêncio na sala.

– Me dá um beijo, Marcus?

– Não.

– Um só.

– Eu já falei que não.

Eu já estava tirando a cabeça do colo dele, quando Renato me puxou:

– Daqui você não sai, Marcus.

– Não estou brincando, Renato. Me deixe levantar.

– Não.

À força fui beijado por ele e resisti ao beijo apenas nos primeiros segundos. Foi um tesão.

Viajei legal quando ele, ainda me beijando, enfiou a sua mão por dentro do meu agasalho e começou a me bater uma punheta.

– Eu te amo, alemãozinho. Você é meu. Só meu.

Gozei com tudo e adormeci no colo do meu namorado me sentindo o cara mais feliz do mundo.

9

Na véspera de Natal acordei cedo. Minha mãe já havia me chamado pelo menos umas cinco vezes. Desci, tomei um banho superdemorado – o chuveiro do banheiro de baixo tem o jato de água mais forte, daqueles que fazem a gente despertar – e fui para a cozinha.

Sobre a mesa encontrei um dos famosos bilhetes de minha mãe, que só serviam para me dar ordens – "Marcus, faça isso, Marcus, faça aquilo". Ser filho único nessas horas era muito ruim, pois qualquer atividade especial acabava sempre sobrando para mim.

Das tarefas que ela havia deixado, a principal delas era a de levar a mesa da cozinha para o barracão dos fundos e a pior era a de arrumar o barracão, que quase na sua totalidade era ocupado com as minhas coisas. Eu sempre fui de guardar coisas velhas e quebradas. Minha mãe dizia que eu havia puxado ao meu avô Francesco, que também era mestre em guardar porcarias.

Com um sanduíche de queijo na mão esquerda e um copo de leite gelado na mão direita, fui para o barracão. Eu ainda decidia por onde começar a arrumar a bagunça, quando ouvi meus pais chegando. Devagarzinho e sem fazer barulho fui até a cozinha para surpreendê-los. Na verdade, eu sempre brincava de dar sustos na minha mãe. Quando cheguei perto da porta, percebi que eles estavam falando de mim e, apesar de não ser o correto, resolvi ficar ouvindo.

Eles estavam conversando numa boa e meu pai dizia:

– Sabe, Ana, eu me sinto cúmplice de tudo isso ao apoiá-lo. E nada disso me faz bem. Mas o que a gente pode fazer? Se nós virarmos as costas, vamos deixá-lo sozinho. E isso eu acho pior. Sozinho, ele vai encontrar gente de toda espécie. Algumas pessoas vão querer se aproveitar dele, seja em sexo ou em drogas. Nós sabemos como é o mundo lá fora. Quando você foi consultar a Sílvia, que trabalhou com jovens problemáticos na cidade... Como era mesmo o nome do programa social?

– "Vamos tirar os jovens das ruas."

– É esse mesmo, Ana. Você lembra que ela falou que meninos na idade do Marcus estavam vendendo o corpo em troca de dinheiro para sobreviver? Sabe, Ana, se alguém tem de passar por algo que não gosta, acho que precisa ser a gente, e não ele. Vamos fazer que as coisas aconteçam com a maior dignidade possível.

Sem fazer barulho, resolvi voltar para o barracão. Me arrependi de ter ouvido esta conversa. Eu não faria nada disso. Comecei a pensar num jeito de mostrar que eu estava lá, mas que nada tinha ouvido. Comecei então a cantar, e em poucos minutos eles vieram. Quando os vi, disse:

– Vocês já chegaram!

Eles não perceberam nada e minha mãe disse para me apressar, pois logo os convidados chegariam.

À noite, minha casa já estava cheia de gente. Por parte de meu pai, estavam seus três irmãos. Tio Marcello, que era o mais legal deles e também o mais pobre. Ele trabalhava num banco, mas não ocupava nenhum cargo de destaque. Tio Marcello era casado com Isabel, a quem eu também chamava de tia. E tinham duas filhas que eram uma gracinha, Flávia, com 7 anos, e Mara, com 9.

Já tio Sandro era do tipo bem sisudo. Ele era contador e tinha escritório próprio. O que eu não gostava nele era o papel de "senhor sabe-tudo" que ele fazia. Tio Sandro era casado com Marta, que também andava com o nariz em pé. Eles não tinham filhos.

O que tio Sandro tinha de sisudo, sua irmã tinha de simpática. Tia Tela se casou com Miguel quando tinha 45 anos de idade e vivia como se o mundo fosse um paraíso. Eles não eram ricos, mas tristeza e coisas ruins não faziam parte da vida dela. Na verdade, eu nunca soube definir minha tia Tela. Às vezes eu a achava inocente de tudo, e às vezes tinha a impressão de que ela simplesmente bloqueava aquilo que não queria ver.

Pela família de minha mãe, além dos meus avós, estava a sua única irmã, minha tia Rosa. Ela era a simplicidade em pessoa. Eu nunca vi minha tia falar mal de alguém. Ela era casada com o tio João, que também era muito legal. Eles eram proprietários de sete lojas de autopeças. O filho deles, Daniel, tinha a minha idade e a gente aprontou muito quando crianças.

Eu estava servindo ponche ao meu avô, quando vi os pais do Renato entrando.

– Presta atenção, Marcus.

– Me desculpe, vô.

Depois de quase ter derramado ponche em cima dele, fui tomado por um calafrio no corpo todo. Percebendo algo de diferente em mim, meu avô perguntou:

– Quem são aqueles, Marcus?

– Quem, vô?

– Aqueles que estão parados na porta do quintal junto com os seus pais?

– São os pais do Renato, vô.

– E por que a presença deles o deixou tão nervoso?

– Eu não estou nervoso, vô.

– É lógico que está!

Nisso, Renato veio em minha direção.

– E aí, Marcus, tudo bem?

Nos cumprimentamos com um abraço e ao pé do ouvido ele me falou:

– Meus pais já estão aqui.

Também encostado ao seu ouvido, eu respondi:

– Eu sei, Renato. Já os vi.

Num tom de voz bem alto, meu avô falou:

– Vocês vão ficar agarrados por muito tempo?

Sem graça, paramos de nos abraçar e Renato foi finalmente cumprimentá-lo:

– Tudo bem, sr. Francesco?

Eles também se cumprimentaram com um abraço e meu avô perguntou ao Renato:

– Por que o Marcus ficou tão nervoso quando viu os seus pais, Renato? Aconteceu alguma coisa?

– Ele ficou nervoso, sr. Francesco?

– Ficou.

Intervim na conversa.

– Eu não fiquei nervoso, vô. Isso foi impressão sua.

Inteligentemente, Renato puxou outros assuntos com meu avô, e enquanto eles conversavam fiquei observando – com um falso sorriso no rosto – os quatro se aproximarem de mim. Minha mãe vinha de braços dados com dona Inês, aparentando uma amizade que não existia. Já bem mais à vontade, meu pai conversava com o senhor Júlio e, pela forma que gesticulavam com as mãos, o assunto eram negócios.

– Dona Inês, seu Júlio. Tudo bem?

Como sou falso. Fui cumprimentar o senhor Júlio com um aperto de mãos, mas para minha surpresa ele me abraçou. Nosso abraço foi muito curto em função da impaciência que dona Inês demonstrava em querer me cumprimentar. A impressão que ela me passava era a mesma de uma criança numa fila qualquer, que não tinha paciência em esperar a sua vez chegar. Por certo ela era a mais nervosa de todos nós, pois junto com o abraço demasiadamente demorado, ela me beijou diversas vezes no rosto.

Ela ainda me cumprimentava quando meu avô foi se apresentando:

– Boa noite. Eu sou o Francesco, pai da Ana e... Essa aqui é a minha esposa, Luíza.

Minha avó não estava exatamente no grupo, e meu avô, ao tentar delicadamente puxá-la, derramou ponche de vinho tinto na camisa do Renato, que estava ao seu lado.

Ele nem teve tempo de se desculpar com o Renato, pois minha avó, que não gostou muito da forma como ele a havia puxado, falou:

– Francesco, olha o que você fez na camisa do moço!

– Foi sem querer, Luíza.

– Eu sei que foi sem querer.

– Se você sabe que foi sem querer, então por que pergunta?

– Não fala besteira Francesco. Eu não estou perguntando nada. Eu só estou dizendo para você prestar mais atenção nas coisas que faz.

– Eu estou prestando atenção, só que o vinho já caiu, Luíza.

– Eu sei que o vinho caiu. Só que agora manchou a camisa do moço.

– E você quer que eu faça o que, Luíza? Troque de camisa com ele?

– Não se atreva a tirar a camisa aqui, Francesco.

– Duvida?

Por incrível que pareça, foi dona Inês que tentou evitar que a discussão entre os meus avós se prolongasse. Ela disse:

– Vocês não precisam discutir por causa da camisa. Eu tenho certeza de que o seu Francisco não fez de propósito.

Sem pensar, meu avô respondeu:

– É lógico que eu não fiz de propósito. E o meu nome não é Francisco, é Francesco!

Para que as coisas não ficassem piores, minha mãe entrou na conversa e foi mudando de assunto:

– Vocês não querem comer alguma coisa? Eu fiz pimentão com aliche. Está uma delícia.

Dona Inês respondeu:

– Não, Ana, obrigada. Fica para a próxima vez. Na verdade nós já temos de ir. O meu outro filho, Carlos, está com a noiva nos esperando, não é Júlio?

– É isso mesmo, Inês.

O senhor Júlio e a dona Inês ficaram pouco tempo em casa, mas com certeza o suficiente para uma primeira aproximação.

Passado o sufoco e com a casa cheia de gente, foi possível ficar alguns momentos com Renato no meu quarto, sem que fôssemos notados. Eu nem bem havia fechado a porta e ele me prensou contra a parede.

– Como você gosta de me apertar contra a parede, cara.

– Por que, Marcus? Você não gosta?

– Eu adoro, cara, ainda mais quando você me pega de surpresa, como agora.

Começamos a nos beijar e, entre um amasso e outro, ele falou:

– Eu gostaria de te dar o meu presente de Natal, Marcus.

– Então você não se esqueceu do meu presente, Renato!

– Como eu posso esquecer o presente da pessoa mais importante da minha vida? A caixinha está no meu bolso, Marcus. Você pega?

– Pego.

– Eu falei no bolso, e é uma caixinha e não um canudo.

Risos.

– Eu sei que é uma caixinha, Renato, mas eu estava com a mão tão perto dele, que não resisti.

Ele havia comprado uma corrente de ouro, mas o detalhe que tornava o presente especial era o pingente: no formato de uma medalhinha, tinha um crucifixo cunhado na frente e a letra R atrás.

– Você gostou, Marcus?

– Muito, cara. Você coloca em mim?

– Lógico. Essa é a melhor parte.

Junto com a corrente ganhei vários beijos no rosto e no pescoço e então foi a minha vez de presenteá-lo.

– Agora é a vez do meu presente, Renato.

– Você também guardou no bolso, Marcus?

Sobre o jeans, ele começou a passar a mão em mim.

– Não, Renato, o seu presente não está no meio das minhas pernas.

Rimos.

– Eu vou pegá-lo no maleiro.

Emocionado, entreguei a caixa a ele:

– É seu, cara. Espero que você goste.

– O que tem aqui dentro, Marcus? Criptonita?

Comecei a rir e perguntei:

– Por que você disse isso? É pelo papel?

– Hã, hã.

A caixa estava embrulhada em um papel verde brilhante.

– Que legal, Marcus!

– Você gostou?

– É impossível não gostar. Puta tênis transado, cara!

– Entre os importados, eu escolhi o que tinha mais o seu jeito.

– Valeu mesmo, Marcus. Agora deixa eu ler o seu cartão.

– Não leia agora, Renato.

– Por quê?

– Leia quando você estiver sozinho.
– Você está com vergonha?
Tentei puxar o cartão da mão dele, mas não consegui.
– Marcus, se eu não puder ler o cartão agora, não tem graça.
– Tá legal, Renato. Você pode ler, mas não vale rir.
– Ok, Marcus.
Ele começou a ler o meu cartão em voz alta:

"A bordo de sua vida, me fiz um passageiro eterno."
Renato, juntos faremos o possível e o impossível para realizarmos os nossos sonhos.

Eu te amo.
Marcus

– Eu não sei o que lhe dizer, Marcus. O que você escreveu é bonito demais, cara.
– Então não diga nada, apenas me abrace.
Nós estávamos namorando quando bateram à porta:
– Marcus? Você está aí?
– O que você quer, Mara?
– O vovô está procurando você.
– Diga a ele que eu já estou descendo.
Olhando para o Renato, falei:
– Se bem conheço meu avô, é melhor descermos agora.
– Por quê?
– Porque senão ele sobe.
Não precisei falar duas vezes.

10

A ceia de Natal transcorreu quase que normalmente. Percebi que meus pais já se sentiam bem mais à vontade comigo e com o Renato. No fundo, esse alívio vinha do fato de nem eu nem ele darmos bandeira da nossa situação. Realmente nós parecíamos apenas amigos.

O que eles não sabiam era que nós brincávamos muito. Renato e eu, sentados lado a lado e por debaixo da mesa, nos alisávamos constantemente sobre o jeans. Sabíamos que estávamos arriscando, mas também não era tanto risco assim. Além do mais, era muito gostoso.

Eu estava completamente distraído, quando da ponta da mesa meu avô gritou: "Meia-noite em ponto!" Imediatamente todos começaram a se cumprimentar. Nunca gostei muito disso, pois nessas horas você é obrigado, inclusive, a cumprimentar quem não gosta. Passado esse momento, iniciou-se a troca de presentes. Estava muito ansioso, pois junto com minha mãe havia preparado um esquema em que meu avô entregaria um presente meu para o Renato, em nome da nossa família.

Em casa, a troca de presentes era comandada pelo meu avô que, da ponta da mesa, pegava pacote a pacote, devidamente identificado, e fazia o maior suspense para entregá-lo, dizendo por fim o nome do ganhador e o nome de quem havia dado o presente. Quando a pessoa se levantava para pegar o pacote, a mesa inteira gritava o tradicional "Abre! Abre! Abre! Abre!"

Mesmo com todo o suspense que meu avô fazia, percebi quando o momento que eu mais esperava chegou:

– Este presente que tenho em mãos é para uma pessoa que, pela amizade, já é quase da família. Alguém quer arriscar o nome?

A mesa inteira respondeu que não, inclusive eu.

– Esta pessoa é muito jovem e o presente está sendo dado pelo Giorgio, pela Ana e pelo Marcus ... o presente é para o... Renato.

Ele não esperava ganhar um segundo presente e ficou todo envergonhado em recebê-lo na frente de todos. Mas o pior mesmo aconteceu quando a caixinha foi aberta. Todos ficaram sem entender nada. Eu havia comprado um relógio de marca, folheado a ouro. Minha mãe, do outro lado da mesa, se pudesse, arremessaria a bandeja de pernil na minha cabeça. Ela sabia que eu havia comprado um relógio, mas não imaginava que tivesse sido um tão caro.

Na verdade não era o valor do presente que estava em questão, pois dinheiro nós tínhamos bastante, e sim como explicar aos outros o porquê de um presente tão caro a um amigo meu.

Percebendo que não havia o que explicar, meu avô prosseguiu com a entrega de presentes, e minha mãe – delicadamente – pediu para que eu a ajudasse com a travessa de maionese na cozinha.

Nem bem passamos pela porta, ela falou:

– Você está louco, Marcus? Você até pode dar um relógio tão caro ao Renato, mas que desse sozinho, filho.

– Eu sei, mãe, agora percebo a mancada que dei.

– Ninguém entendeu nada, filho. Você viu como a sua tia Marta me olhou? Ela...

Interrompi minha mãe:

– A Marta não é minha tia.

– Não é isso que nós estamos discutindo, Marcus.

– Desculpe, mãe, a senhora tem razão.

– Da próxima vez que você quiser fazer alguma coisa, filho, pense antes nas conseqüências. A família não precisa saber o que acontece. Você entendeu?

– Entendi, mãe.

– Agora é melhor voltarmos para a mesa, Marcus.

– Nós não vamos levar a maionese?

– É mesmo. Pegue-a na geladeira, filho.

Ninguém tocou no assunto do relógio, e meus tios já combinavam em que lugares da casa dormiriam, quando meu avô, pela primeira vez falando baixo, me perguntou:

– Está tudo bem, Marcus?

– Está, vô.

– Então volte para o seu lugar.

Os meus avós sempre foram muito rígidos em se tratando de almoço e jantar. Tanto que as crianças sempre comiam separadas dos adultos e, caso alguém quisesse sair definitivamente da mesa antes que o meu avô desse o jantar por encerrado, tinha de pedir licença a ele.

Voltando para o meu lugar, observei as pessoas à minha volta e fiquei imaginando como seriam os nossos Natais dali a alguns anos, quando eu já estivesse morando com Renato. Será que todos se sentariam à mesa com a gente?

Fui interrompido em meus pensamentos pelo Renato, me dizendo bem baixinho:

– Você não vai dormir na sala com o Daniel.

– Do que você está falando?

– Do esquema que a sua família preparou, para você e o Daniel dormirem na sala em colchonetes.

Claramente pude perceber que Renato estava com ciúmes.

– Então por que você não dorme com a gente?

– É o que vou fazer, Marcus.

Enquanto bebíamos muito ponche e jogávamos tômbola, a noite foi avançando sem tropeços e, na hora de dormir, três pessoas se deitaram na sala: eu, o Renato e meu primo Daniel.

Ao acordarmos, disse aos meus pais que almoçaria na casa do Renato, e perguntei se eles poderiam me emprestar um carro. Minha mãe disse que nós poderíamos levar o dela, desde que o motorista fosse o Renato. Concordei, já que entre nós ele era o único que tinha habilitação para dirigir.

Após o banho, e a pedido de minha mãe, avisei a meu avô que eu passaria o almoço de Natal na casa do Renato. Ele disse que tudo bem e ainda brincou, falando com a minha avó em italiano que as moças deveriam estar lá ou algo assim.

Já a caminho da guerra – era assim que eu me sentia –, perguntei ao Renato se ele tinha certeza de que os seus pais me receberiam bem. Sorrindo, ele afirmou que sim.

Não satisfeito com a resposta, insisti:

– Renato, posso tocar num assunto delicado?

– Pode. O que você quer saber?

– É sobre o seu pai.

– Pode falar, Marcus.

– Sabe o que é, Renato, tem uma coisa que ainda não se encaixou direito na minha cabeça.

– Pode falar. O que está preocupando você?

– Até hoje, Renato, eu não entendo como uma pessoa tão "de bem com a vida" como o seu Júlio pôde ser... Você entendeu.

Ele terminou a frase por mim:

– Pôde ser tão violento. É isso, Marcus?

– É isso.

Percebendo que a situação me incomodava demais, ele parou o carro e disse:

– Marcus, ao contrário do que possa parecer, meu pai não teve culpa nenhuma. Quando eu comecei a falar com eles, ele estava na cozinha preparando um lanche. Minuto a minuto, a discussão foi tomando proporções mais graves, até que minha mãe saiu chorando da cozinha e se trancou no banheiro. Meu pai, também descontrolado, veio para cima de mim e me puxou com muita força para perto dele. Foi nessa hora em que ele se deu conta de que a faca estava na sua mão e que tinha entrado na minha barriga. Dias depois que você havia me visitado no hospital, eu tive de conversar muito com o Carlos para provar a ele que o papai...

Muito emocionado, Renato tinha dificuldade em falar, mas mesmo assim continuou:

– Tive de conversar muito com o Carlos para provar a ele que o papai não tinha tentado... me matar, que era o que estava na cabeça dele e o que também deve estar na sua.

Com um abraço interrompi as palavras dele e, enxugando com as minhas mãos as lágrimas que caíam pelo seu rosto, disse:

– Não fale mais nada, Renato.

Ficamos algum tempo no carro e depois, já recuperados, seguimos para a casa dele.

Lá chegando, encontramos todos já almoçando. Quando o senhor Júlio nos viu entrar, levantou-se e veio me cumprimentar. Dona Inês fez o mesmo, seguida por Carlos e sua noiva.

Ainda nem tínhamos sentado à mesa, quando dona Inês comentou:

– Pensei que vocês não viriam mais!

Foi aí que percebemos que já eram quase quatro horas da tarde.

A mãe do Renato estava supergentil comigo. Ela me oferecia de tudo e, entre um pedaço de pernil e outro, sem qualquer sentido, ela disse:

– Você me desculpa pelo hospital, Marcus?

Ela havia levantado a questão do hospital numa hora totalmente imprópria. Carlos largara os talheres sobre o prato e Renato veio ao meu socorro, quando antecipando-se a ele, o senhor Júlio falou:

– Marcus, todos nós sabemos que o momento não é este, inclusive a Inês, não é, Inês? Porém, nós até hoje estamos muito aflitos com o que aconteceu e não queremos, de forma alguma, que você fique magoado com a gente. A partir de agora, nós o consideramos como um filho.

Me senti desarmado pelas palavras do senhor Júlio e até já achava que o incidente no hospital não tinha sido tão grave assim.

Percebendo que eu não sabia o que dizer, Renato, que estava sentado à minha frente, colocou sua mão sobre a minha e disse:

– Está tudo bem, Marcus?

Corei de vergonha. Como pôde o Renato me tratar como namorado, colocando a sua mão sobre a minha com tanto carinho na frente de todos? Confuso, tentei buscar a firmeza que meu avô sempre teve e, olhando para dona Inês, disse:

– A senhora não precisa se desculpar, e por ser quem é já está tudo esquecido. Vamos brindar?

Não sei até hoje por que eu disse essa merda. Não tinha nada que ver com a situação. Esse "vamos brindar" saiu da minha boca não sei como. Percebi que Renato também não havia entendido nada; aliás, acho que ninguém entendeu, mas todo mundo brindou. A única coisa certa é que me senti um completo idiota.

Após o almoço, que foi rápido – afinal de contas eles já deviam estar à mesa há muito tempo –, fomos todos para a sala, com exceção do Renato, que foi tomar um banho.

Minha mãe havia me ensinado que é muito perigoso tomar banho após as refeições e que isso poderia dar congestão. Na família do Renato não tinha nada disso. Se o banho fosse logo após a refeição, nada aconteceria.

O senhor Júlio e a dona Inês ficaram pouco tempo na sala e logo subiram para o quarto. Eu, Carlos e Lúcia ficamos selecionando uma fita para colocarmos no videocassete.

Quando Renato entrou na sala, tive de controlar minha excitação. O meu namorado estava gostoso demais. Ele vestia uma camiseta branca, um short xadrez em tons de mostarda e nos pés usava apenas meias brancas.

Carlos e Lúcia se acomodaram no sofá pequeno. Renato e eu, no grande. Com poucos minutos de filme, ele deitou no sofá e colocou a cabeça sobre o meu colo. Fiquei com vergonha e não sabia o que fazer com as minhas mãos, quando Renato falou:

– Não ganho um carinho?

Muito sem graça comecei a acariciar seus cabelos. Carlos e Lúcia também não se sentiam à vontade, e mais uma vez Renato falou:

– Gente! Vocês precisam relaxar.

Carlos foi o primeiro a falar:

– O que você disse, Renato?

– Você sabe o que eu disse, Carlos!

Os dois começaram a rir e Renato falou, ajoelhando-se no sofá, ao meu lado:

– Eu e o Marcus não vamos fazer isso na presença de estranhos, mas vocês são da família.

Tentando me provocar, Renato continuou:

– Olhem para o Marcus. Está com tanta vergonha que parece que o seu rosto vai pegar fogo. E a Lúcia, então? Nem respira.

Todos nós caímos na risada, e Carlos falou:

– Sabe o que é, Renato? Vendo pela primeira vez, a gente se sente meio estranho, não é mesmo, Lúcia?

– É isso mesmo, Carlos. Até o Marcus está com vergonha.

Então eu disse:

– Eu não tenho vergonha dos meus sentimentos. O que me faz sentir meio estranho é o fato de agir assim na frente de outras pessoas. Aliás, Renato, se os seus pais estivessem aqui, com certeza eu ainda não estaria preparado e acho que nem eles.

Todos concordaram comigo e, a partir daí, o clima não ficou tão tenso como no início.

11

Na semana logo após o Natal, agitamos com os nossos pais uma viagem para o litoral norte de São Paulo. Eu e Renato queríamos passar o ano-novo sozinhos num hotel. Mas, para isso, precisaríamos de grana, e eu não queria mexer na minha poupança novamente. Também, minha mãe teria de deixar o carro dela com a gente. No início, eles hesitaram um pouco. Primeiro disseram que os meus avós ficariam chateados. Depois, que não conseguiríamos reservas num hotel em cima da hora. E, por último, como faríamos no hotel para que ninguém percebesse nada? Respondi a eles que nós ficaríamos num apartamento com duas camas de solteiro, ou seja, dois amigos passando o ano-novo juntos. Disse, também, que já havíamos feito contato com um hotel em Boiçucanga, e que ainda era possível reservar um apartamento pagando um pouco a mais pela diária. Na verdade esse "um pouco a mais" representava quase o dobro da diária, mas achei melhor não contar nada a eles.

Antecipando-se a meu pai, minha mãe disse:

– Você pensou em tudo, não é Marcus? E quanto aos seus avós? Você sabe que eles gostam de ver a família toda reunida em Jundiaí para a passagem de ano.

Meu pai quase não deixou minha mãe terminar de falar, dizendo que o problema com o seu Francesco eles resolveriam. Percebi que ela ficou surpresa com a atitude dele. Acho que era a primeira vez que meu pai não estava ligando muito para o que meu avô pensaria.

Antes de sair da sala, ele disse que eu poderia fazer as reservas e depois dizer a ele quanto dinheiro seria preciso.

Meio inconformada com a decisão do meu pai, minha mãe subiu as escadas logo atrás dele, mas esperou que chegasse à suíte para questioná-lo. Eu também subi e, com o ouvido na porta, escutei o que eles diziam:

– Ana, nós sabemos que o problema maior não é o seu pai. Nada na vida é eterno. Este ano é o Marcus que não poderá estar presente na festa. No ano que vem, poderá ser outra pessoa, e assim a vida continua. Eu mesmo me encarrego de inventar uma história qualquer para o seu Francesco.

– Sei que você está certo, Giorgio. Mas me incomoda saber que o nosso filho, que só tem 16 anos, vai ficar com um rapaz alguns dias num hotel. Já parou para pensar no que pode acontecer?

Ligeiramente alterado, mas com a voz firme, meu pai disse:

– É óbvio que já pensei, Ana. Só que é impossível querer controlar uma situação como essa. É como tentar impedir que as ondas se quebrem na praia. No fundo, Ana, estou tentando ser digno dentro da lama.

Minha mãe suspirou fundo, e meu pai continuou a falar:

– Outra coisa, Ana. O Marcus já vai fazer 17 anos e o rapaz com quem ele vai viajar tem nome, tem família e estuda no mesmo colégio.

– E você acha que isso é suficiente para atestar a conduta do Marcus? Eu não estou entendendo você, Giorgio!

Pelo tom de voz de meu pai, eles já estavam a ponto de discutir:

– Ana! Quando você vai entender de uma vez por todas que não somos nós que definimos a tendência sexual do nosso filho? Se fosse assim, eu diria: "Marcus, a partir de agora, você gosta de mulher", e pronto, como num passe de mágica tudo estaria resolvido.

Por alguns minutos, silêncio absoluto no quarto.

– Ana, não sei se estou decidindo certo ou errado, mas sei que prender o Marcus dentro de casa não vai adiantar nada. Já falei que estou tentando ser digno dentro da lama. Outra coisa, Ana, prefiro não pensar muito no que eles fazem, mas com certeza alguma coisa já deve ter acontecido. Ou você acha que não?

Ele não esperou a resposta dela e continuou a falar:

– E tem mais, Ana! É importante sim conhecer a pessoa com quem o nosso filho está. Pior seria se nem isso soubéssemos. Bem ou mal, o Renato vem de uma família estruturada, que tem pai, tem mãe e, ainda, tem um irmão que está noivo.

Minha mãe continuava em silêncio.

– Eu já nem sei mais o que estou dizendo, Ana. Vou tomar uma ducha.

Apesar de ele ainda não me aceitar, gostei muito do que meu pai havia dito. Além de pai eu começava a sentir nele um amigo.

Na casa do Renato não houve problema algum, tanto que, depois de confirmar comigo, ele mesmo fez a reserva do apartamento.

Tudo estava resolvido, e a noite que antecedia a nossa viagem foi uma das piores da minha vida, tamanha era a ansiedade que eu sentia.

No dia da viagem acordei cedo e quando desci para o café meus pais já estavam na cozinha.

– Bom dia, pai. Bom dia, mãe.

Depois de nos beijarmos, minha mãe perguntou:

– Que horas você marcou com Renato, Marcus?

– Nós combinamos às nove horas da manhã, mãe.

Tomando café, meu pai disse:

– Não se esqueça de pegar os documentos do carro, Marcus. Eles estão na mesinha da sala, junto com alguns números de telefones, que eu mesmo separei para vocês levarem.

– Que telefones, pai?

– Caso vocês precisem de alguma coisa e por um motivo qualquer não consigam falar comigo, as pessoas que estão nesses números poderão ajudá-los.

– Pode ficar tranqüilo, pai. Não vai acontecer nada de ruim.

Não sei o que se passava pela cabeça de meu pai, mas eu já havia viajado inúmeras vezes, inclusive com Renato, e nunca ele teve uma preocupação tão grande como agora. Eu ainda refletia sobre o que tinha acabado de ouvir, quando ele disse:

– Outra coisa, Marcus. Não vá esquecer de me passar o nome e o telefone de onde vocês vão ficar.

Sorrindo, eu falei:

– Quando Renato chegar, eu pego com ele e passo a você, pai.

Ele conversava comigo numa boa, mas não me olhava firme nos olhos como de costume.

– Você falou que o hotel fica no litoral norte, Marcus?

– Hã, hã. Só que não é um hotel, é uma pousada, pai.

– Mas o lugar é bom, filho?

– Renato falou que é de primeira, pai.

Preparando um suco de laranja, minha mãe perguntou:

– Em que região do litoral norte fica a pousada, Marcus?

– Entre Boiçucanga e Barra do Sahy, mãe.

Meu pai comentava que essa região era muito bonita, quando eu disse:

– Pai, o senhor fez o DOC para a conta-corrente do Renato?

– Fiz, Marcus, ou melhor, a Maria Estela fez.

Maria Estela era a sua secretária. Minha mãe dizia que se não fosse a Maria Estela, ele não conseguiria trabalhar direito, já que ela cuidava de tudo. Desde a conta-corrente dele até as revisões nos carros.

Eu já estava saindo da mesa para pegar as mochilas no meu quarto, quando meu pai perguntou:

– Esse dinheiro que eu mandei para a conta do Renato é para pagar a pousada, filho?

– É sim, pai. A família do Renato não é pobre, mas também não é rica.

Eu ainda conversava com ele quando a campainha tocou. Era Renato. Correndo, fui atender à porta:

– E aí, Marcus, tudo bem?

– Melhor agora, cara. Vamos até a cozinha? Meus pais estão lá.

Todos se cumprimentaram numa boa e Renato tomava um cafezinho quando meu pai perguntou a ele:

– Que caminho você vai fazer, Renato?

– Eu vou pela rodovia dos Trabalhadores, senhor Giorgio.

– E pega a saída para Mogi das Cruzes?

– Isso mesmo, passo por dentro de Mogi, pego a rodovia Mogi–Bertioga e depois a Rio–Santos.

– Muito cuidado nessas estradas, Renato. Principalmente agora que é uma época de festas e todo mundo bebe demais.

– Pode deixar, senhor Giorgio.

Meus pais quiseram saber de tudo. Minha mãe forneceu papel e lápis para Renato anotar o nome e o telefone da pousada, e depois de "um milhão de recomendações", nos acompanharam até a porta e, abraçados, esperaram que a gente partisse.

O carro já estava em movimento, quando da janela eu gritei:

– Pai, mãe, obrigado!

Nós dois estávamos muito excitados com a viagem. A sensação de liberdade era muito grande. A impressão que eu tinha era que o meu peito explodiria de tanta felicidade. Pela primeira vez, Renato e eu estávamos viajando sozinhos como namorados e, melhor ainda, sem ter de esconder isso dos nossos pais. Essa viagem representava muito mais do que um simples passeio. Era uma conquista!

– Eu nem acredito que nós vamos passar o fim de ano sozinhos, Renato.

– Você está feliz, Marcus?

– Demais, cara. E você?

Passando a mão sobre a minha coxa, ele disse:

– Com o meu alemãozinho do lado, o que você acha?

Renato estava de camiseta, short, meias brancas e tênis. Só olhar para ele já me deixava excitado. Percebendo isso, ele disse:

– Marcus, vem brincar um pouco com ele.

– Agora?

– É, agora.

– Mas você está dirigindo, Renato.

– Mas ele, não.

Tirando-o para fora do short, ele falou:

– Pronto, cara, vem cair de boca.

Foi um tesão. Eu nunca o havia chupado daquele jeito. Ele gozou muito em meio a um fantástico ziguezague com o carro, e eu engoli cada gota jorrada.

O que também me deixava muito excitado era a forma como Renato dizia as coisas. Esta expressão "vem cair de boca" me faz gozar espiritualmente.

Demoramos quase três horas para chegar à pousada e a caminho ainda paramos para um café num lugar muito bonito, chamado Riviera de São Lourenço.

Gostei da pousada logo que a vi. Ela não era nada sofisticada, mas tinha uma coisa muito importante: charme!

– Boa tarde. Em que posso ajudá-los?

Eu ia responder, quando Renato tomou a frente:

– Eu fiz reserva de um apartamento em nome de Renato Assunção.

– Perfeitamente. O apartamento de vocês já está pronto. Você deve ser o senhor Renato?

– Sou eu mesmo, mas não precisa me chamar de senhor.

Checando numa planilha, o recepcionista olhou para mim e disse:

– Então, você só pode ser o Marcus Dório, quero dizer, o senhor Marcus Dório. Sejam bem-vindos à nossa pousada.

Enquanto preenchíamos as fichas, o recepcionista, olhando para Renato, não parava de falar:

– O apartamento de vocês tem duas camas de solteiro e, a pedido do senhor, quero dizer, a seu pedido, o frigobar foi abastecido quase na sua totalidade com cervejas em lata. Eu queria falar também deste folheto. Nele vocês poderão verificar todos os serviços que a pousada oferece, desde o café-da-manhã até os serviços de quarto, onde...

Renato interrompeu o cara:

– Qual é mesmo o seu nome?

– Puxa! Eu esqueci de me apresentar a vocês, quero dizer, aos senhores. Me desculpem, eu sou o Ronaldo.

O rapaz devia ter seus 25 anos mais ou menos e nos passava a impressão de que tentava seguir um *script* qualquer do tipo "como receber hóspedes". Porém, se enrolava todo.

Por iniciativa de Ronaldo, mais uma vez nos cumprimentamos, e Renato disse a ele:

– O importante, Ronaldo, é não deixar faltar cerveja no frigobar. Agora, quanto ao resto, em caso de dúvidas, a gente liga. Ok?

– Perfeitamente, senhor Renato, quero dizer, Renato.

– Outra coisa, Ronaldo. Qual é o número do nosso apartamento?

– Ah, sim. É o apartamento número... 22, que fica no segundo andar. Subindo as escadas, do lado esquerdo do corredor.

– E as chaves, Ronaldo?

– Ah, sim. Estão aqui.

Livres do confuso Ronaldo, pudemos subir para o nosso apartamento. Internamente a pousada mantinha o mesmo charme que do lado de fora. De uma forma meio rústica, possuía muitos detalhes em madeira e devia ter, no máximo, quarenta apartamentos nos seus dois andares.

A satisfação que eu sentia em poder estar ali com Renato era tão grande, que subi as escadas imaginando ouvir a música *La donna è mobile*, de Verdi.

12

O apartamento era bem transado, mas o que mais me agradava nele era a varanda, que, além de uma mesinha, tinha duas confortáveis cadeiras.

Trancamos a porta, largamos as mochilas no chão, pegamos duas cervejas estupidamente geladas e nos sentamos na varanda. Naquele momento, se tivesse talento, teria feito uma poesia para Renato. Ficamos um bom tempo nos beijando, até que minha mão começou a deslizar pelo seu corpo. Tomando cerveja como se nada estivesse acontecendo, podia até parecer que ele estava indiferente aos meus carinhos, se não fosse pelo volume que começava a se formar dentro do seu short. Pedi a ele que continuasse sentado e deixando-o apenas de camiseta e meias, comecei a chupá-lo.

Eu ainda curtia tudo aquilo quando a campainha tocou. Imediatamente paramos e Renato, mesmo sem gozar, foi vestindo a cueca e o short.

– Quem poderá ser, Renato?

– Deve ser o Ronaldo, que esqueceu de nos falar alguma coisa que não está escrita no folheto.

Estava indo atender a porta quando Renato, brincando, falou:

– Se for ele mesmo, Marcus, dê uma porrada na boca dele por mim.

Ao abrir a porta, não pude acreditar no que meus olhos viam:

– Beatriz! Você aqui!

Ela me deu um beijo no rosto e foi entrando sem qualquer cerimônia. Sem entender o que estava acontecendo, fechei a porta com uma única certeza: aquilo só podia ser armação do Renato. Mas por que ele faria isso? Eu ainda tentava encontrar uma resposta, quando ela disse:

– Não ganho uma cerveja, Marcus?

Eu estava pegando a cerveja no frigobar, quando Renato entrou no quarto.

– Eu pensei ter ouvido a sua voz. E é você mesma!

– Tudo bem, Renato?

Eles se cumprimentaram com um curto beijo nos lábios, e Renato perguntou:

– Como você nos achou aqui?

– Pura coincidência. Eu estou aqui com mais duas amigas no apartamento oito, primeiro andar. E vocês estão sozinhos?

Entrando na conversa, eu respondi:

– Estamos, Beatriz. Aqui está a sua cerveja.

– Obrigada, Marcus.

Abri minha latinha de cerveja e sentei numa das camas. Eles fizeram o mesmo, com Renato dizendo a ela:

– Mas que surpresa, hein!

– Ainda mais porque você anda fugindo de mim, não é, Renato?

– Eu não tenho motivos para fugir de você.

– Parece, Renato. Desde o seu acidente eu ando tentando falar com você e não consigo.

– Não confunda as coisas, Beatriz. Não somos mais namorados.

–Eu não estou falando de namoro, Renato. Estou falando de amor, amizade e consideração. Eu acho que não mereço ser tratada dessa maneira por você. Afinal de contas, juntos nós vivemos muitos momentos bons.

O diálogo entre eles estava difícil, e mesmo se tratando do meu namorado, achei que deveria sair do quarto para que Renato, mais à vontade sem a minha presença, pudesse dar um ponto final naquela história.

Quando me levantei da cama em direção à porta, Beatriz me perguntou:

– Aonde você vai, Marcus?

Renato apenas me olhava.

– Eu vou deixá-los sozinhos para que vocês possam conversar mais à vontade, Beatriz.

Levantando-se da cama e me segurando pelo braço, ela me fez sentar novamente e, olhando para Renato, disse:

– Acho que sei o que rola entre vocês.

Com muita calma, Renato respondeu:

– O que você está querendo dizer?

– Que você e o Marcus se gostam.

Pegando mais uma cerveja no frigobar, sem ter bebido a anterior totalmente, ele disse:

– É claro que a gente se gosta, nós somos amigos.

Sem hesitar, ela revidou:

– Eu não estou falando de amizade, Renato.

– Por que você acha que a gente se gosta de uma forma diferente?

– Por tudo que já observei em você, Renato. Agora certeza mesmo eu só tive no hospital em que você estava internado.

Já com a voz não muito firme, ele disse:

– Você nunca me visitou no hospital.

Aproximando-se bem dele, ela falou:

– Visitei sim, Renato. Presenciei toda a cena que sua mãe fez no corredor com o Marcus. O Carlos também estava lá.

Eu não sei definir direito que tipo de sentimento essa garota provocou em mim, mas sei que gostei muito do fato de ela ter descoberto tudo. Quantas e quantas e quantas vezes eu sonhei em ocupar o lugar dela. Meu Deus! Isso é maluco.

Ela continuou a falar e Renato, de cabeça baixa, apenas ouvia:

– Sei que você não tem compromisso nenhum comigo. Mas eu me senti muito magoada por você nunca ter me dito nada do que estava acontecendo. Renato, bastava apenas você dizer que existia outra pessoa na sua vida, só isso.

Assistindo a tudo de camarote – era assim que eu me sentia –, pude finalmente perceber que, na verdade, nunca tive raiva dela. Ciúme e inveja era o que eu sentia por ela poder desfrutar, sem esforço nenhum, aquele universo que a sociedade nunca permitiu que eu tivesse acesso. E a presença dela, naquele momento, representava para mim uma vitória.

Visivelmente sem graça, Renato pediu desculpas a ela e os dois se abraçaram por muito tempo. Confesso que não sabia o que fazer e acabei por esperar que aquele abraço terminasse.

Antes de sair do apartamento, com lágrimas nos olhos, Beatriz me deu um beijo no rosto, que acabou num abraço. Definitivamente, ela estava triste por ter perdido um lugar no coração dele, mas em momento nenhum ela demonstrava estar com raiva de mim.

Depois de acompanhá-la até a porta, peguei duas cervejas e sentando de frente para ele, na cama, falei:

– É melhor bebermos. Tome a sua.

Pegando a cerveja, ele disse:

– Desculpe ter feito você passar por isso, Marcus.

– Você não precisa se desculpar. Comigo está tudo bem.

– Mesmo?

– Mesmo, Renato. E digo mais, nem a presença dela na pousada me incomoda. O que nós temos de pensar, e nem precisa ser agora, é na possibilidade de ela espalhar a notícia no colégio.

– Ela não vai contar nada a ninguém, Marcus.

– O que te dá tanta certeza?

– Não se esqueça de que ela já foi minha namorada, Marcus. Além do mais, nos últimos tempos, ela e eu fizemos muita coisa diferente. E pode ter certeza de que ela também gostou.

– Além do que você já me contou na cachoeira, o que mais vocês fizeram?

– Eu vou te contar toda a história, Marcus.

Eu não estava muito a fim de ouvir toda a história, mas acho que ele precisava falar:

– No início nós éramos um casal comum. Íamos muito a motéis e transávamos bastante. Na cama, nós fazíamos aquilo que era considerado normal, ou seja, além do tradicional, um chupava o outro e estava limpo. Com o tempo, comecei a perceber que, quando Beatriz me tocava atrás, com a mão ou com a língua – e isso só acontecia sem querer e rapidamente –, me dava muito tesão.

– Como que ela te chupava "sem querer" atrás, Renato?

– Isso acontecia quando ela dava um trato no meu saco. Por diversas vezes sua língua escorregava mais para baixo.

– Você nunca se imaginou transando com um cara, Renato?

– Eu já falei que não, Marcus. E o assunto agora não é esse.

Me desculpei e ele continuou a falar:

– O tempo foi passando, e como nunca tive coragem de pedir a ela que também desse um trato nesses novos lugares do meu corpo, a nossa relação foi caindo, caindo, até que um dia percebi que estar com ela na cama já não representava muito. Mesmo gostando da Beatriz, resolvi terminar o namoro. Pode parecer estranho, mas pela privacidade escolhi um motel para falar com ela. E olha que foi difícil, Marcus. Ela começou a chorar e a dizer que queria saber quem era a outra mulher, e como eu não tinha o que explicar, fui ficando cada vez mais nervoso, até que, no meio da discussão, disse a ela que não tinha certeza dos meus sentimentos como homem. Ao dizer isso, confesso que esperei dela a reação mais negativa possível. Mas foi o contrário, cara.

– O que ela fez?

– Foi aí que pude perceber como ela gostava de mim. Me abraçando, ela repetia que me amava e me aceitava de qualquer jeito.

– E você?

– Acabei com o namoro assim mesmo. Não seria honesto da minha parte manter uma relação em que já não havia emoção nenhuma.

– Mas vocês continuaram indo para a cama, Renato.

– A Beatriz é uma garota interessante, Marcus. Você acredita que ela nunca perguntou o que eu realmente sentia? Sem contar que nós nunca mais falamos sobre aquela conversa no motel. É como se tudo aquilo nunca tivesse existido.

Acendendo um cigarro, ele continuou:

– Uma semana depois, ela me ligou e acabamos saindo. Fomos a um barzinho, e de lá, já com duas doses de uísque na cabeça, esticamos para um motel. Ela escureceu o quarto e disse que iria me fazer uma massagem. Até aí, nada de novo, se não fosse pelo fato de ela insistentemente manter as suas mãos deslizando sobre a minha bunda. Ela me fez viajar, cara.

– E você vai me fazer morrer de fome, Renato.

– Eu pensei que você quisesse conhecer a história toda!

– E quero. Mas não agora. Vamos pedir alguns lanches primeiro?

– Fechado. Que tal dois churrascos com queijo para cada um?

Até os lanches chegarem, decidimos tomar um banho super-rápido, já que a fome naquele momento era maior do que qualquer coisa. Com toalhas enroladas na cintura e sentados na cama um de frente para o outro, começamos a comer. Renato literalmente descarregava *ketchup* no lanche, quando eu falei:

– Por que você disse que a Beatriz sente prazer em fazer "aquelas novas coisas", Renato?

– Você sente quando uma pessoa está gostando de fazer alguma coisa.

– Você tem razão... Mas o que vocês faziam?

Parando de comer e olhando para mim, ele perguntou:

– Por que você está tão interessado, Marcus?

– Eu não estou tão interessado assim... Mas é que por ela ser mulher... Eu tenho curiosidade em saber o que rolou.

– Hã, hã.

– É sério, Renato.

– Imagine a cena, Marcus: eu deitado de bruços e a Beatriz me lambendo atrás e se masturbando ao mesmo tempo.

Aquilo era excitante demais. Me imaginei deitado de bruços na cama, sendo chupado atrás pela Beatriz.

– Fale mais, Renato! Detalhes, detalhes.

Percebendo meu entusiasmo, Renato puxou a toalha da minha cintura e viu que eu estava excitado. Nem tive tempo de explicar. Sorrindo, ele se jogou em cima de mim, me fazendo deitar na cama e disse:

– Que mente suja, Marcus!

– Você está me apertando muito, Renato.

– Não muda de assunto, Marcus.

– Eu não tenho culpa de que essa história me deixou excitado.

Ele tentava ficar sério, mas não conseguia.

– E o nosso amor, Marcus?

– Isso não tem nada que ver com amor, Renato. Aliás, se você quiser saber, até cachorro transando na rua me excita.

Rimos.

– Tudo bem, Marcus. Pelo seu descaso, você será torturado.

– Isso não, Renato. Eu sinto cócegas demais embaixo do braço.

Ele sabia que eu quase não agüentava sentir a sua língua passando lentamente sobre as minhas axilas. Ele adora fazer isso e eu sinto um misto de prazer e cócegas ao mesmo tempo.

– Preparado, Marcus?

– Não, Renato. Não, não, não...

Deitado sobre mim e mantendo minhas mãos presas, ele começou. Dei várias voltas ao mundo em apenas um segundo e, não mais agüentando de tesão, gozei com tudo, de tanto que ele me apertava com o seu corpo.

Sorrindo, Renato disse:

– Valeu, Marcus?

– Muito...

Em meio a pedaços de pão, *ketchup* e queijo, eu continuava deitado.

– Você vai dormir, Marcus?

– Hã, hã.

Ele me havia feito gozar com muita intensidade. Juntando isso ao cansaço da viagem, eu queria mais era ficar largado. Acho que se o mundo acabasse naquele momento, eu não seria capaz de me levantar da cama.

– Você não quer deitar na outra cama Marcus?

– Não...

Pegando um pedaço de lanche que estava debaixo da minha coxa esquerda, ele disse:

– Você viu a sujeira onde você está deitado? Por isso é que eu falei para você mudar de cama.

– Não...

– Tá legal, Marcus. Durma aí mesmo, que eu vou fumar um cigarro na varanda.

– Não vai não, Renato...

Já deitado de lado na cama, fiz que se deitasse com a cabeça um pouco abaixo da minha cintura. E assim, adormeci do jeito que eu mais gostava: com o meu pau – mesmo mole e todo sujo de porra – encostado no seu rosto.

13

Quando acordei era noite. Levantei-me da cama e fui acender a luz do quarto, já que a única luz acesa era a de um abajur muito pequeno que quase não iluminava nada. Tanto eu quanto o lençol estávamos muito sujos de ketchup e mostarda, sem contar as sobras de pão, carne, queijo e latinhas vazias de cerveja que se espalhavam pela cama e pelo chão. Estava sozinho e, antes de ir tomar banho, ainda procurei por algum bilhete deixado pelo Renato. Como não encontrei nada, fui para o banho. Não fazia dez minutos que eu estava debaixo do chuveiro quando a campainha tocou. Inutilmente gritei que a porta não estava trancada, mas acho que não dava para Renato ouvir. Ainda ensaboado e puto da vida fui atender a porta:

– Você é foda, Rena... Beatriz!

Pedi a ela que entrasse e voltei correndo para o banheiro. Apesar de ter feito o "tipo envergonhado", na verdade eu gostei muito de ela ter me visto nu.

Terminei meu banho e, de short, fui para o quarto.

– Tudo bem, Beatriz?

– Tudo bem, Marcus.

– Desculpe ter atendido a porta daquele jeito. Eu pensei que fosse o Renato.

– Não se preocupe não, Marcus. Aliás, você... deixa pra lá.

– Pode falar, Beatriz.

– Eu ia dizer que você tem um corpo muito bonito.

Sem saber o que responder, disse um solene "obrigado" e a convidei para tomar cerveja na varanda.

– Aceito, Marcus. Mas você vai deixar o quarto desse jeito?

Realmente o quarto parecia um chiqueiro. Uma das camas, então, dava até nojo de olhar. Além de toda a sujeira, nossas mochilas ainda estavam abertas no chão, dando uma certa impressão de maloca. Por sugestão dela, liguei para a recepção e pedi que viessem trocar os lençóis e dessem uma ordem no quarto. Antes de irmos para a varanda, deixei a porta aberta para que o pessoal da limpeza pudesse entrar sem nos incomodar.

Estava claro para mim que não deveria me imaginar transando com a Beatriz. Mas eu não conseguia deixar de pensar nisso. De uma forma meio animal, ela me atraía. Se o Renato soubesse dos meus pensamentos, com certeza ele não entenderia que foram as histórias dele com ela que me deixaram com esse desejo estranho. E isso, com certeza, não tem nada que ver com o amor que sinto por ele.

– Eu vou voltar para São Paulo amanhã, Marcus. E vim até aqui para me despedir de vocês.

– Eu acho que entendo o que você deve estar sentindo, Beatriz. Só que esse tipo de assunto entre a gente é... muito difícil. Eu sou suspeito para lhe dizer qualquer coisa.

– Eu sei o que você quer dizer, Marcus. Numa situação normal, nós nem estaríamos conversando.

A campainha tocou e eu comentei com ela:

– Isso porque eu avisei a recepção que o pessoal da limpeza poderia entrar direto. Vou atender a porta e já volto, Beatriz.

Quando voltei, ela estava de pé encostada na grade, olhando para o mar. Sem ser percebido, fui me aproximando dela e, por trás, quase encostando o meu corpo no seu, coloquei as duas mãos na sua cintura. Aceitando o meu gesto, ela encostou todo seu corpo ao meu e disse que estava se sentindo muito frágil. Apesar de eu mesmo ter provocado aquilo, nós não poderíamos ficar naquela posição por muito tempo, pois logo eu ficaria excitado e, com receio de que Renato entrasse a qualquer momento, fiz que voltássemos a nos sentar.

– Você não deve estar entendendo nada, não é, Beatriz?

Acendendo um cigarro, ela disse:

– Tem coisas, Marcus, que é melhor não entender. Isso eu aprendi com o Renato.

Nesse momento ouvimos a porta do quarto se abrindo. Era o Renato. Antes de entrar na varanda, ele já foi dizendo:

– Faz tempo que você acordou, Marcus?

Da varanda, eu gritei:

– A Beatriz está aqui, Renato!

Eles se cumprimentaram apenas com um "oi" e Renato, forçando espaço, sentou-se comigo na mesma cadeira.

– A Beatriz veio se despedir da gente. Amanhã ela volta para São Paulo.

Ele não falou nada; e eu, para quebrar o silêncio, disse:

– Aonde você foi, Renato?

– Fui comprar uma garrafa de tequila. Lembra-se do último acampamento?

– Lógico que eu me lembro. Mas e o limão e o sal?

– O Ronaldo já me arrumou.

Para que a Beatriz não se sentisse mais deslocada do que já estava, eu perguntei:

– Você já tomou tequila com limão e sal?

– Não, Marcus. É gostoso?

– Demais, Beatriz! E você não vai embora sem saber que gosto tem.

Renato não gostou muito da minha sugestão. Porém, abrimos a garrafa e nós três começamos a beber.

Música, doses de tequila, cerveja e castanhas de caju foram tornando o ambiente mais leve. Literalmente altos, falávamos muita besteira e ríamos demais. O lance todo começou quando Renato foi ao quarto buscar mais cervejas e pediu para que Beatriz o acompanhasse. Continuei na varanda, e como demoravam a voltar, resolvi ir até lá. Quando entrei no quarto, Renato – sem camiseta – estava encostado no frigobar sendo acariciado e beijado no peito por ela. Com uma expressão muito séria no rosto, ele olhou para mim de um jeito que nunca tinha olhado antes e disse:

– Eu estava esperando você, Marcus.

Não entendi direito o que ele quis dizer com isso, mas fui me aproximando deles. Para Beatriz, acho que pouco importava o que estava acontecendo, pois ela continuou a fazer carinhos nele, mesmo quando eu a abracei por trás. Esse "sanduíche" que fizemos com ela durou um bom tempo e quando fomos os três para a cama, só Renato e eu estávamos de short. Pelas minhas mãos, Beatriz já estava completamente nua.

Na cama, me lambuzei como um menino. Pela primeira vez curti estar transando com uma garota. Naquela cama não existiam masculino e feminino. Existiam, sim, três pessoas se amando do jeito que a imaginação de cada uma pedia. Eu estava abraçado ao Renato e nos beijávamos, quando ela começou a brincar comigo. Primeiro foi a sua língua que deslizava suavemente pela minha bunda. Eu podia sentir, a cada toque, o seu enorme prazer em fazer isso. Interrompendo por alguns momentos o meu beijo com Renato, ela colocou os seus dedos na minha boca e me fez chupá-los até ficarem bem molhados com a minha saliva. Já imaginava o que ela iria fazer com eles. E ela fez. Lentamente ela foi enfiando um dedo dentro de mim. Ninguém nunca tinha feito isso comigo, ainda mais uma mulher. Com tesão e um pouco de dor continuei beijando Renato da forma mais profunda que conhecia. Beatriz não parou aí e tentava colocar dois dedos dentro de mim, mas a dor que eu começava a sentir era grande demais, e forcei uma mudança de posição. Já deitado sobre ela, fui lentamente sentindo-a por dentro. Centímetro a centímetro eu conquistava aquele reguinho — já todo molhado e quase sem pêlos. Eu cavalgava sobre ela como um cavalo de raça, quando Renato deitou seu corpo sobre o meu. Desta vez eu era o recheio do sanduíche. Eu a beijava e Renato dava pequenas mordidas no meu pescoço quando, juntos, gozamos os três.

Na manhã seguinte, acordei por volta das dez horas. Eu estava com um gosto horrível na boca. Na cama comigo estava apenas Renato. Me levantei sem fazer barulho, fui ao banheiro. Enquanto mijava, senti um abraço por trás.

– Bom dia, gatinho.

– Bom dia, Beatriz. Onde você estava?

– Na varanda, admirando o dia.

Eu estava nu e ela apenas de calcinha e sutiã. Me beijando o pescoço, ela disse:

– Vamos tomar um banho?

Antes de responder pensei no que Renato acharia disso, mas entre nós ele era o que mais tinha bebido e, com certeza, não acordaria antes do meio-dia.

– Vamos, Beatriz. Vá abrindo o chuveiro enquanto eu escovo os dentes.

– Venha escovar aqui no boxe, Marcus.

Entrei no chuveiro escovando os dentes e, sem que eu pedisse nada, ela começou a me ensaboar.

– Ontem você quase me matou, Marcus.

– De tesão?

– Também, mas eu estou falando de dor. O seu é muito grande e, além de tudo, é grosso.

Confesso que me senti orgulhoso, mas não demonstrando importância disse:

– Não é tão grande assim.

Comecei a ficar excitado ao sentir as suas mãos ensaboadas a correr pelo meu corpo. Ela não sentia vergonha nenhuma. Mesmo sem tequila na cabeça, ela passava a mão na minha bunda e no meu pau como se estivesse passando a mão no meu braço. Sem que eu esperasse, ela se abaixou e começou a me chupar.

– Beatriz, vá devagar que ele está muito sensível, para não dizer dolorido.

Não demorou muito para que eu gozasse, pois enquanto me chupava, um dos seus dedos – bem ensaboado – tentava me penetrar.

Gozei com força na sua boca. E, ao contrário do Renato, ela cuspiu tudo.

Terminamos o banho e pedimos o café-da-manhã no quarto. Beatriz e eu ficamos no corredor esperando a moça trazer o café. Nós não queríamos que a campainha tocasse, pois poderia acordar o Renato.

Fomos tomar o café na varanda. Pensei em como a vida nos traz surpresas. Nunca me imaginaria tomando café-da-manhã numa pousada, no último dia do ano, com a Beatriz.

– Posso perguntar uma coisa pessoal, Marcus?

– Pode.

– Tem certeza?

– Claro que tenho, pode perguntar, Beatriz.

– Entre vocês, você é o homem?

Fiquei visivelmente envergonhado. Ela continuou:

– Você disse que eu podia perguntar, Marcus. Se você quiser, não precisa responder.

– Entre mim e o Renato não existe essa divisão de homem e mulher. Por que você perguntou isso?

Ela ficou envergonhada.

– É que...

– Fala, Beatriz.

– É que atrás, você é virgem.

Comecei a rir.

– Sabe o que é Beatriz, nós nunca tivemos essa necessidade. Agora... se um dia pintar... sei lá.

Ela acendia um cigarro quando ouvimos o barulho do chuveiro. Era o Renato.

– Vou ligar para a copa, Marcus, e pedir mais um bule com café quente. Este já está frio. Você não quer ir pegando mais uma cadeira no quarto?

– Pego, Beatriz.

Quase uma hora depois, Renato saiu do banheiro.

– Bom dia!

Ele estava apenas de cueca e nos cumprimentou com um beijo.

– Faz tempo que vocês acordaram?

Eu respondi:

– Não. Acordamos quase agora.

Colocando a sua cadeira quase de frente para a minha, ele esticou as pernas e pôs os pés sobre o meu colo. Instintivamente comecei a massageá-los, e só não os beijei porque a Beatriz estava lá.

Se servindo de um suco de laranja, Renato disse a ela:

– A que horas você pretende pegar a estrada para São Paulo, Beatriz?

– Daqui a pouco, Renato. Eu só estava esperando você acordar para me despedir.

– Eu só estou perguntando porque Marcus e eu temos um compromisso.

Tentando demonstrar naturalidade e já se levantando da cadeira, Beatriz começou a se despedir da gente na varanda mesmo. Foi uma despedida muito rápida e sem graça, tanto que nem para acompanhá-la até a porta do apartamento eu tive tempo.

Ao ouvir o barulho da porta se fechando, eu disse:

– Você foi muito grosseiro com ela, Renato.

– Eu só fiz o que precisava ser feito.

– Renato, você nem considerou o que rolou na noite de ontem, cara.

Aproximando-se de mim, ele disse:

– Marcus, se eu não tivesse agido dessa forma, ela simplesmente não iria embora. Não se esqueça de que eu a conheço há muito tempo, cara.

– Você tem razão. Além do mais, ela não faz parte da nossa vida.

– É isso aí, cara. Considere a noite de ontem como uma aventura a três que já acabou. Vamos dar um giro pela praia?

14

Sempre gostei de andar pela praia. Pisar na areia e poder admirar o pôr-do-sol me fazem muito bem. Daquela vez então, era melhor ainda, pois ao meu lado – fazendo bem ao meu coração – caminhava a pessoa mais bonita do mundo: o meu namorado. Por vezes controlei meu impulso para não abraçá-lo, e no resto desse desejo, fiquei apenas com escassas aproximações do corpo, naturais entre dois amigos.

Tomávamos caipirinha de vodca com kiwi à mesa de um barzinho da praia, quando Renato disse:

– Olhando esse mar todo, sabe do que eu tenho vontade?

– De nadar, Renato.

– Como você é inteligente, Marcus! A sua sensibilidade é demais, cara.

Rimos e ele continuou a falar:

– A vontade que eu tenho é de ficar aqui com você para sempre, cara.

– Eu topo, Renato!

– Como "Eu topo", Marcus? Acho que você já tomou caipirinha demais.

– É sério, Renato! Por você eu largo tudo.

Sentindo-me beijado pelo seu olhar, eu disse:

– Estar aqui com você me faz sentir uma pessoa um milhão de vezes melhor. Se não fosse a nossa coragem de enfrentar todas as situações, nossos sentimentos ainda estariam sufocados pela mediocridade das pessoas. Hoje, Renato, eu me sinto vivo!

Oferecendo-lhe caipirinha, falei:

– "Coragem". Se não fosse por ela, eu ainda seria um infeliz na vida e passaria os dias me lamentando por não poder ser verdadeiro comigo mesmo.

Antes que ele pudesse acender um cigarro, eu disse:

– Vamos ver quem chega primeiro na água?

– Mas nós nem estamos de calção, Marcus.

– E daí? Estamos de short.

Perdi a corrida, mas cheguei na água me sentindo um vencedor na vida. Num mergulho, emergi por detrás dele e, com tudo, o empurrei para dentro da água. Entre abraços apertados e empurrões, brincamos como dois meninos podem brincar. Se a felicidade pudesse ser medida em aura, a minha com certeza, disputando com o sol, iluminaria toda a praia.

Jogados na areia – lado a lado –, esperávamos que a respiração voltasse ao normal, quando Renato disse:

– O que desceu em você? O Espírito Santo?

– Quase isso! Eu estou me sentindo bem pra caralho!

Sorrindo, ele disse:

– Tentar me derrubar na água te deixa feliz, Marcus?

Comecei a rir:

– Você nunca vai saber como é bom estar com você, cara!

– Sabe o que eu acho, Marcus? Aqui nesta praia deve ter algum cabo elétrico enterrado e sem querer você pisou nele.

Nós dois rimos muito e, tentando ser poético, com seriedade, falei:

– Eu acho que fui atingido pelo espírito do Natal.

– Mas o Natal já passou. Hoje é o último dia do ano, Marcus!

– E daí? Espírito é espírito.

Não conseguíamos olhar um para a cara do outro, que começávamos a rir da besteira que eu tinha dito. De qualquer forma, saí da praia me sentindo um rei.

Já na pousada, havíamos apostado quem chegaria primeiro ao banheiro. Estava vencendo – na frente dele consegui passar pela porta do apartamento. Correndo, bati com o dedinho do meu pé no pé da cama. A dor foi horrível. Impulsivamente, me atirei sobre a cama, e lá me contorcia, enquanto ele – da porta – não parava de rir.

Ofendido ao extremo com os risos dele, comecei a xingá-lo com todos os palavrões que conhecia. Renato tentava se defender:

– Marcus, me desculpe...

Mais risos.

– Marcus, me desculpe, mas a cena foi muito engraçada!

– É errado... rir de uma pessoa que... sofre... Renato.

Aproximando-se de mim, ele disse:

– Me deixe ver o estrago que você fez.

Tentando segurar o riso, Renato falou:

– Não foi nada, Marcus. É só um cortinho.

Quando o vi se aproximar com um antisséptico em *spray* e um *band-aid*, disse:

– Você... não vai espirrar... isso no meu... dedo.

– Mas é preciso, Marcus. O seu pé está todo sujo de areia, cara.

– Isso... deve arder... Renato.

– Deixe de ser covarde, Marcus.

– Não... você não vai... pôr.

De banho tomado e com o antisséptico no dedo, fomos para a varanda descansar. Com as cadeiras inclinadas e bebendo cerveja, nós estávamos conversando quando o telefone tocou. Renato atendeu:

– Alô! Oi, dona Ana, aqui é o Renato. Tudo bem com a senhora?

Não sei o que tanto minha mãe falava, pois eles ficaram ao telefone por quase cinco minutos. Renato dizia *hã, hã* e *pode deixar*.

– Um abraço para a senhora também. Vou passar a ligação para o Marcus. Um beijo.

– Oi, mãe! É o Marcus.

Pelo tom de sua voz dava para perceber que lá em Jundiaí estava tudo bem. Ela disse que meus avós aceitaram a minha ausência numa boa e que meu avô quebraria – na passagem de ano – cinco pratos em meu nome. Sugeri a ela que fossem quebrados cem. Começamos a rir. Realmente minha mãe estava com um bom astral, tanto que, após eu ter desejado uma ótima passagem de ano, fui surpreendido por ela:

– Um beijo para você também, meu filho. E nunca, nunca se esqueça de que a mamãe te ama acima de tudo!

– Eu...

– Marcus? Você ainda esta aí? Marcus?

– Eu... também... te amo muito... mãe.

Apesar de nunca ter tido dúvida desse amor, foi a primeira vez em que ouvi minha mãe dizer que me amava. E isso foi o que me deixou muito emocionado. Quando desliguei o telefone, Renato estava trocando o meu *band-aid* que havia se molhado com o banho e, antes de colocar o novo curativo, beijou várias vezes o meu dedo.

– Por que você não falou com o seu pai, Marcus?

– Ele havia saído com meu avô. Foram buscar mais vinho. Renato, o que tanto minha mãe te falou?

– Por quê? Você está com ciúmes?

– Lógico que não. É que você só respondia "hã, hã" e "pode deixar".

Abrindo mais uma latinha de cerveja e debruçando-se sobre mim, ele disse:

– Ela pediu para que eu cuidasse bem de você.

– Sério? O que ela pediu a você?

A cada situação sugerida pela minha mãe, ele me dava um beijo:

– Entre outras coisas, para que você não beba demais... Não pegue friagem... Não ande descalço em chão gelado... E que eu não o deixe dormir sem camiseta, já que você se descobre muito à noite...

A melhor coisa do mundo era poder amar e ser amado por alguém. Sentir isso era como ganhar um presente de Deus a cada minuto. Como fazia bem ao coração poder dividir com o Renato desde as coisas mais importantes até as mais simples da vida. Adormeci na cadeira da varanda com o gosto do seu beijo na boca.

Com beijos no pescoço e no rosto, Renato tentava me acordar. A princípio, como num sonho, sua voz me chamando parecia bem distante. Ainda sem abrir os olhos, tentei me espreguiçar e desisti quando senti a sua boca debaixo do meu braço:

– Aí não, Renato. Eu tenho cócegas...

– Então acorde, alemãozinho. Já são quase onze horas da noite.

– Dormi tanto assim?

Ele havia tomado banho e já estava vestido – todo de branco – para a passagem de ano.

– Eu já separei a sua roupa, Marcus. Agora só falta o banho.

Renato foi comigo até o banheiro e abriu o chuveiro – regulando a temperatura da água – para mim.

– Pronto, Marcus! Enquanto você toma banho, vou para o quarto esperar a nossa ceia chegar.

Quando entrei na varanda já estava tudo pronto. O pessoal da pousada havia caprichado na mesa. O charme todo ficava com a toalha na cor vinho e o carrinho todo em madeira, que – além de algumas frutas – tinha na parte superior uma garrafa de champanhe importado, num balde de gelo, de prata.

– Gostou, Marcus?

– Muito bonito. Depois precisamos agradecer ao Ronaldo.

– Você não acha que pediu comida demais, Marcus?

– Com a fome que estou, acho que não.

Comecei a rir.

– Você tem razão, Renato. Mas esse exagero é por conta da pousada. Tudo bem que eu pedi vários pratos, mas tudo em pequena quantidade.

Era mentira. Sem me preocupar com quantidade, eu havia pedido peru, um pedaço de pernil, arroz branco preparado com uva passa, pimentão com aliche – um dos meus pratos prediletos –, salada completa e muitas frutas. Para beber, quatro garrafas de champanhe importado.

– Só veio uma garrafa de champanhe, Renato?

– Não, vieram quatro. As outras três estão no frigobar.

Renato abria o champanhe quando, como num *flash*, minha memória foi buscar a imagem do meu segundo avô, já falecido: o vovô Duílio. Apesar da minha pouca idade na época – ele partiu quando eu tinha 12 anos –, vovô foi uma das melhores pessoas que conheci na vida. Foi com o seu incentivo – ele foi o meu primeiro torcedor – que eu aprendi a nadar e a jogar tênis, entre tantas outras coisas. O vovô dizia que a vida era curta e, por isso, era importante sempre ter um objetivo, fosse ele qual fosse. Na época, eu não entendia direito o significado disso, mas uma frase dele nunca ficou esquecida: "A vida é tão rápida como um relâmpago, aproveite-a".

Minhas lembranças foram interrompidas com Renato me oferecendo uma taça de champanhe:

– Um brinde ao loirinho mais bonito e gostoso do planeta!

Com as suas mãos na minha cintura e ao som de *Surfer girl*, começamos a dançar. Nós nunca havíamos feito isso antes e meu coração, em resposta ao tamanho da emoção que eu sentia, batia cada vez mais forte. Fogos incendiavam o céu e seus beijos me incendiavam a alma. O novo ano chegou, e com ele veio um par de alianças de prata muito bem transado. Dançando ao som de músicas do passado, fui sendo despido lentamente, até ficar completamente nu. Suas mãos corriam pelo meu corpo e me apertavam cada vez mais, numa dança quase parada. Banhado com taças de champanhe derramadas no ombro, me deixei conduzir pelos seus desejos. Cada parte do meu corpo pôde sentir o calor da sua língua em contraste com o frio da bebida. De costas para ele e sentado no seu colo, eu levava pequenas mordidas no pescoço enquanto, com a sua mão esquerda, ele me masturbava. Gozei com tudo e senti o gosto do meu próprio esperma, que pelos seus dedos foi levado à minha boca.

– Você é muito louco, sabia?

– Só eu, Marcus?

Sorrimos e nos beijamos.

– E essa comida toda, Marcus. Vamos encarar?

– Você não quer que eu faça você gozar primeiro?

– Você já fez, Marcus.

– Quando?

– Dançando, cara.

– Sério, Renato?

– Sério. Olha a minha calça toda melada.

Antes que eu pudesse falar alguma coisa, ele insistiu:

– E então, Marcus? Vamos encarar essa comida fria?

– Não precisa falar duas vezes.

Tudo foi perfeito naquela noite, até as imperfeições. Meu coração hesitava em pensar que logo teríamos de voltar a São Paulo e, passando por cima de tudo isso, me fazia acreditar que aqueles momentos seriam eternos. A aliança de prata na minha mão direita, com o nome dele gravado, representava mais do que um compromisso: era a realização de um sonho.

– Renato, por que de prata?

– É diferente... é jovem... é atraente... Como alguém que conheço...

15

A viagem de volta foi muito cansativa. Pegamos um congestionamento que atrasou em duas horas a nossa chegada a São Paulo. Pelo adiantado da hora, Renato me deixou em casa e nem entrou para cumprimentar os meus pais. Estava abrindo o portão de casa, quando eles saíram:

– Filho!

– Oi, mãe; oi, pai.

Nos abraçávamos quando meu pai perguntou:

– E o Renato? Por que não entrou?

– É tarde, pai. Amanhã, quando ele trouxer o carro, vocês se cumprimentam.

Natural de quem chega cansado de uma viagem, me joguei no sofá enquanto meu pai recebia a pizza que já haviam pedido. Estávamos tão descontraídos que minha mãe nem reclamou quando ele sugeriu que comêssemos na sala mesmo. Já equilibrando o prato sobre as pernas, meu pai falou:

– E aí, filho? Fale da viagem.

– Foi ótima, pai.

Sem ter como detalhar os meus melhores momentos – iria chocá-los –, acabei por transferir a conversa para o lado deles. Minha mãe, desconsiderando que nada era novo para mim, começava a falar com grande entusiasmo até perceber a aliança de prata no meu dedo.

– Você está usando anel, filho?

– É uma aliança, mãe. Ela simboliza um compromisso.

Tentando quebrar o silêncio que veio a seguir, falei:

– Tudo bem, pai? Tudo bem, mãe?

Tomando a iniciativa, meu pai respondeu:

– Tudo bem, filho. É que... sua mãe e eu ficamos um pouco sem graça. Esse...

Interrompendo-o, minha mãe perguntou:

– Esse compromisso representa exatamente o que, Marcus? Um noivado?

– Hã, hã.

Incrivelmente calmo, meu pai disse:

– Independentemente de qualquer outra coisa, você não acha que ainda é muito cedo para pensar nisso, Marcus?

– Acho que não, pai. Em dois meses farei 17 anos, e...

Sentando-se ao meu lado e bem tranqüila, minha mãe nem esperou que eu terminasse de falar e disse:

– Você está pensando em não fazer faculdade, filho?

– Lógico que não, mãe. Os meus planos para o futuro não diminuíram, só cresceram.

Olhares interrogativos me fizeram explicar melhor:

– Apesar de essa conversa ter começado sem querer, eu iria falar com vocês sobre os meus planos para o futuro. Renato também já deve estar falando com os pais dele. Foi por isso que ele não entrou, pai.

Demonstrando preocupação, meu pai perguntou:

– O que vocês decidiram de tão urgente, Marcus?

– Não, não é nada urgente, pai. O que nós decidimos nessa viagem deve acontecer só daqui a um ano.

Antecipando-se a mim, minha mãe disse:

– Vocês pretendem morar juntos?

– Terminando o colegial, sim. Mas não se preocupem, pois tudo será feito com muita discrição. Para parentes e amigos, seremos apenas dois estudantes – fazendo faculdade – que moram juntos.

Me servi de um pouco de Coca-Cola antes de continuar a falar:

– O que eu gostaria de saber é se posso contar com o apoio de vocês. Nós faríamos a faculdade à noite e trabalharíamos durante o dia. Mas, mesmo assim, acredito que os salários não seriam suficientes para vivermos bem.

Depois de um breve silêncio, meu pai disse:

– Você sabe que tudo isso é muito difícil para sua mãe e para mim, mas com certeza nós nunca daríamos as costas para você, meu filho.

– Obrigado, pai.

Na verdade, o objetivo daquela conversa não era o de pedir apoio, e sim de prepará-los para uma situação que aconteceria antes do próximo Natal. Acredito que só não falamos mais, porque na cabeça dos meus pais um ano é muito tempo.

– Mais um pedaço de calabresa, filho?

– Quero sim, mãe.

No dia seguinte, acordei com a campainha tocando insistentemente. Imaginando ser Renato, desci rapidamente para atender a porta. O olho mágico mostrou-me Beatriz.

Apenas com um palmo da porta aberta e com o meu corpo por detrás dela, a atendi:

– Não esperava sua visita tão cedo. Tudo bem?

– Tudo bem, gatinho. Posso entrar?

– Claro que pode, mas me dê alguns minutos para colocar um short. Eu estou apenas de cueca.

– Por mim nem precisa, Marcus.

Fiz Beatriz esperar na sala, enquanto subi para lavar o rosto, escovar os dentes e colocar um short.

– Bom dia, Beatriz.

Ganhei um beijo no rosto.

– Você me acompanha no café-da-manhã?

Fomos para a cozinha. O relógio da parede marcava dez horas em ponto e, por um bilhete deixado na mesa, meu pai estava na editora e minha mãe fazendo compras no mercado.

– Eu não esperava ver você tão rapidamente, Beatriz, está tudo bem mesmo?

– Sim e não, Marcus. Eu gostaria de falar sobre o que aconteceu na pousada.

– Então fale, o que está incomodando você?

– Sabe o que é, Marcus, eu não gostaria que você pensasse algo errado sobre mim. Nunca havia feito o que fiz naquela noite. Foi a primeira vez que estive com dois homens e, você sabe, sou apaixonada pelo Renato. Eu...

Ela não parava de se justificar e confesso que mesmo fingindo prestar atenção, eu estava mais preocupado com os meus pensamentos. Apesar de ainda me sentir atraído por ela, com certeza nada mais poderia rolar entre a gente.

Servindo-lhe uma xícara de café, voltamos para a sala e, sentados no sofá maior, fiz que ela parasse de se explicar:

– Você está preocupada à toa. Se eu tivesse de pensar algo errado a seu respeito, então o que você pensaria sobre mim?

– Sabe o que é, Marcus, eu me sinto muito sozinha. Você ainda pode dividir com o Renato todos os seus sonhos e sentimentos. E eu?

Ela começou a chorar.

– Beatriz, pára com isso.

Abraçado por ela, e sem saber o que fazer, comecei a passar a mão nos seus cabelos.

– Eu... estou confusa, Marcus.

– Chorar não vai adiantar nada, Beatriz. Vamos conversar.

– Naquela noite, Marcus... com a desculpa de pegarmos mais cervejas no frigobar, o Renato... me ofereceu a você e... no dia seguinte... praticamente me... me expulsou do apartamento.

Suas palavras me atingiram como um raio. Com certeza toda a culpa era minha. Enxugando as lágrimas do seu rosto e olhando-a de frente, eu disse:

– Beatriz, eu te peço desculpas. Tudo o que aconteceu foi minha culpa.

– Você não teve culpa de nada, Marcus.

– Tive sim. Naquela noite desejei transar com você e o Renato percebeu isso. Você me perdoa por eu ter passado por cima dos seus sentimentos?

– Você não precisa do meu perdão.

Um beijo roubado.

– Você é a parte boa de toda essa história, Marcus.

Confuso, me deixei levar por um beijo carregado de emoções.

– Eu quero você, Marcus.

– Beatriz... eu... não... posso...

– Eu quero... sentir você, Marcus...

– Não... não, Beatriz. Eu... eu não posso...

Forçando-me a deitar no sofá e jogando o seu corpo sobre o meu num desejo quase incontrolável, ela me dava pequenas e curtas mordidas no peito.

– Beatriz... pare. Eu... não posso.

– Eu quero sentir você só mais uma vez, Marcus.

Pelas suas mãos, meu short e cueca foram puxados até os joelhos e num movimento rápido e brusco, Beatriz, sentando-se sobre mim, fez-se penetrada. Sem calcinha, mas ainda de vestido, ela mexia seu corpo de um jeito tão especial, que me fez gozar em pouco tempo. Como a demonstrar vergonha por ter forçado tudo aquilo, ela me abraçou e disse:

– Me desculpe, Marcus. Eu não tinha o direito.

– Esqueça, Beatriz. Agora nós já fizemos.

– Você não gostou de estar comigo, Marcus?

– Gostei. Só que a gente não deve mais fazer isso.

Levantando-se do sofá e vestindo a calcinha, ela disse:

– Por que, Marcus? Nós três juntos viveríamos muito bem.

Colocando o short, eu pensava numa maneira suave de dizer a ela que no máximo poderíamos ser amigos, quando ouvimos o barulho da porta se abrindo.

– Beatriz, que surpresa boa!

– Oi, dona Ana, tudo bem com a senhora?

– Tudo bem, e com você, filha?

– Também está tudo bem.

– Por que você não me falou que a Beatriz viria almoçar com a gente, Marcus? Eu teria preparado algo especial.

Antes que eu pudesse responder, Beatriz disse:

– Não vim para almoçar, dona Ana.

– Nós fazemos questão de que você almoce com a gente, não é, Marcus?

– É, mãe.

Fui para o banho, enquanto Beatriz auxiliava minha mãe na cozinha. No chuveiro, cheguei à conclusão de que seria melhor não contar nada ao Renato do que havia acontecido entre mim e a Beatriz.

Estávamos almoçando quando Renato chegou. Respirei fundo antes de abrir a porta:

– Oi, Renato, tudo bem?

Nos cumprimentamos com um rápido beijo na boca.

– Sentiu saudade, Marcus?

– Muita, cara. E você?

Outro beijo.

– Nós estamos almoçando. Você quer almoçar com a gente, Renato?

– Eu já almocei, mas fico com vocês na cozinha.

– Mais uma coisa, Renato. Tem uma amiga nossa almoçando com a gente.

– Quem está aí?

– Beatriz.

– O que ela veio fazer aqui?

– Sei lá, apareceu. Tudo bem?

Sem me responder, Renato foi até a cozinha cumprimentá-las e, ao contrário do que havia dito, ficou na sala assistindo à TV com cara de poucos amigos.

– Você quer mais polpeta, Beatriz?

– Não, dona Ana, obrigada. Eu estou de regime.

– Com este corpo maravilhoso, você não precisa de regime. Não é, Marcus?

– Hum, hum.

Contrariando a vontade de minha mãe, Beatriz foi embora tão logo o almoço terminou. Renato e eu fomos para o barracão nos fundos da minha casa para conversar, enquanto minha mãe arrumava a cozinha.

– Eu não estou gostando dessa história, Marcus.

– Mas que culpa eu tenho, Renato?

– Desse um gelo na garota. Mas não, ainda a convida para almoçar.

– Eu não a convidei, Renato! Foi minha mãe.

– Você estava muito gentil com a Beatriz. Ela vem te visitar, bater papo, almoçar e sei lá mais o quê!

Comecei a rir.

– Você está rindo do que, cara?

– Estou rindo do seu ciúme, Renato. Acho legal.

– Deixa de ser criança, Marcus, eu não estou com ciúme nenhum.

– Está sim, eu só quero descobrir se é de mim ou da Beatriz.

Nervoso, ele me prensou contra a parede e disse:

– Você está a fim de levar uma porrada?

Respondi com um beijo. Ser prensado na parede por ele me deixava muito excitado. O beijo foi aceito e estávamos dando o maior malho quando, da porta da cozinha, minha mãe me chamou:

– Marcus? Marcus?

Excitado demais para sair do barracão, pela janela mesmo respondi:

– Fala, mãe.

– Eu vou subir para descansar um pouco. Se vocês tiverem sede, tem suco de laranja na geladeira.

– Tá legal, mãe.

– Outra coisa, Marcus, caso a Lídia telefone, diga a ela que à noite eu ligo.

– Tá ok, mãe.

– Eu falei a você sobre o jantar beneficente que estamos organizando, Marcus?

Estava difícil prestar atenção no que minha mãe dizia, pois enquanto nós conversávamos, Renato, agachado à minha frente, me chupava e se masturbava ao mesmo tempo.

– Depois a senhora me fala, mãe.

– Você não está passando bem, filho? Você está suando!

– É o calor, mãe.

– Por que vocês não vêm para a sala?

– Daqui a pouco nós iremos.

– Ah, e não se esqueça de devolver as fitas de vídeo na locadora, Marcus.

Senti Renato esporrando na minha perna.

– Pode deixar, mãe.

Quando fechei a janela, ele estava deitado no chão curtindo a sensação de após gozo.

– Foi demais, Marcus!

– Eu que o diga.

Me fazendo deitar ao seu lado, ele disse:

– Você quer ficar com a Beatriz, Marcus?

– Não! Claro que não! Eu amo você, Renato.

– Então não deixe que ela interfira no nosso relacionamento.

– Nunca mais, Renato. Nunca mais.

Muitos, muitos beijos fizeram que a visita da Beatriz fosse um capítulo esquecido.

– Agora eu vou fazer você gozar, alemãozinho.

– Eu não posso, Renato.

– Por quê?

– É que ainda não faz duas horas que almocei. Pode dar congestão.

– De novo com esse papo, Marcus!

– É verdade, cara. Para que o estômago possa fazer a digestão dos alimentos, ele necessita de muito mais sangue do que o normal, é por isso...

– Pára, Marcus!

– É sério, Renato. Deixe eu acabar de explicar.

Passamos um bom tempo discutindo sobre sexo após as refeições.

16

Em poucos meses, meus pais puderam finalmente perceber que o filho deles continuava sendo o mesmo garoto de sempre; que a minha nova opção sexual não havia me transformado em nenhum frankenstein. Mesmo com toda a limitação que o meu mundo continha – várias foram as vezes em que contornamos situações um tanto quanto delicadas –, felicidade era um estado de espírito quase constante no meu dia-a-dia.

Uma dessas situações aconteceu no meu aniversário de 17 anos quando, a pedido de meus avós, foi feita uma grande festa na casa deles em Jundiaí. Por tradição de família – meu avô acreditava nisso –, uma boa comemoração tinha de durar no mínimo três dias. O que mais chamava a atenção nesse tipo de festa é que, a certa hora da noite, os convidados – exceto parentes – iam embora para casa e voltavam no dia seguinte para prosseguir com a festa, e assim sucessivamente até acabar.

Por um problema na editora, meu pai se atrasaria e só poderíamos seguir para Jundiaí às nove horas da noite. Eu curtia um CD do Caetano Veloso e minha mãe arrumava a cozinha, quando a campainha tocou:

– Deve ser o Renato. Eu atendo, mãe!

Ele entrou rindo. Perguntei:

– O que foi?

– Você não vai acreditar no que aconteceu. Parece até mentira.

Respirou fundo:

– Lembra-se do meu tio Pedro?

– Tio Pedro?

– Aquele que tem o cotovelo alongado por causa da "gota".

– Ah, já sei quem é.

– Ele está internado para tratamento. Os médicos dizem que esse tipo de gota é raro e querem estudar melhor.

– E?

– Pelos remédios fortes que está tomando, às vezes ele não diz coisa com coisa. Para você ter uma idéia, outro dia pediu à enfermeira que fosse buscar a carruagem que havia comprado na noite anterior.

– E?

– Pare de falar "e", Marcus.

– É que até agora não achei nada engraçado.

– Mas não é mesmo. Posso continuar?

– Desculpe!

– Na segunda-feira, três tios foram visitá-lo. Eles pertencem à parte pré-histórica da família. O tio Alfredo, com quase 90 anos; o tio Paulo, com os seus 80 e tantos, e a tia Carlota, que é a mais nova deles, beirando a casa dos 80...

Renato começou a rir.

– Conta logo!

Da porta da cozinha, minha mãe também ouvia a história.

– Os três entraram no quarto e quando se aproximaram da cama, o tio Pedro começou a gritar: "Fujam! Fujam! Tem um ladrão escondido no quarto. Fujam!"

Mais risos.

– Conta logo, Renato!

– Você não vai acreditar no que os três fizeram! Pensando ser verdade, eles dispararam corredor afora. Minha tia corria com os braços erguidos e gritava por socorro. Quando a enfermeira os viu saírem correndo do quarto de meu tio, perguntou o que havia acontecido. Minha tia, ainda aos gritos, dizia: "Tem ladrão no quarto! Valei-me, Nossa Senhora!"

Caímos na risada. Minha mãe ria tanto que até se contorcia.

– Marcus! A enfermeira até sentou no chão de tanto rir.

Mais risos.

– E tem mais, Marcus! Passada a correria, os três tiveram de ser medicados. Tio Alfredo, o mais velho, precisou até ficar na maca, e saiu do hospital numa cadeira de rodas de tanto que as suas pernas tremiam.

Mais risos.

– Imagine só o que as enfermeiras devem estar pensando da minha família.

Enquanto meu pai não vinha, ficamos os três durante quase duas horas relembrando e contando histórias engraçadas. Não fosse Renato ser homem e meu noivo, seríamos uma família perfeita. Por vezes, tive a nítida impressão de que, de alguma forma, a cena de nós três conversando na sala já havia acontecido em outra época. Isso é muito louco.

Saímos de casa às nove horas em ponto e nem bem entramos na via Anhangüera, meu pai disse:

– Não esqueçam que, para os outros, vocês são apenas amigos.

Conversar no carro é bom por isso. Meus pais no banco da frente e Renato e eu no de trás não nos sentimos envergonhados, já que ninguém conseguia se olhar de frente.

– Pode deixar, pai. Nós não daremos nenhum fora.

Renato continuou por mim:

– É isso mesmo, senhor Giorgio. Pode ficar tranqüilo.

Na saída da via Anhangüera, minha mãe comentou que meu avô já devia estar na calçada nos esperando. Dito e feito: quando avistamos a casa, lá estava o senhor Francesco.

Meu pai ainda manobrava o carro para estacionar e meu avô já reclamava:

– Como vocês demoraram! A festa começou às sete horas.

Minha mãe foi se explicando:

– Pai, sexta-feira é um dia complicado para o Giorgio. É dia de fechamento de revista.

– Mas ele não é o diretor-geral?

– Por isso mesmo, pai.

Virando-se para mim, e até mesmo antes de me dar os parabéns, meu avô disse:

– Não trouxe a namorada, Marcus?

Juro por Deus que tive vontade de responder a ele: "E o senhor acha que Renato é o quê?" Mas me contive e, abraçando-o, disse:

– Os pais dela não a deixaram vir, vô.

– Isso prova que ela é uma boa moça, não é, Ana?

– É sim, pai.

Perguntas como essa já não me incomodavam mais; porém, para meus pais isso não era verdade: eles sempre coravam.

A contar da hora em que desci do carro, só voltei a falar com o Renato muito tempo depois. A casa estava cheia de gente e, além de meu avô não desgrudar de mim, apresentou-me a todos os seus amigos. O pior de tudo é que cada um tinha uma história diferente para contar.

Quando consegui me livrar de todos, apanhei dois copos de ponche e saí à procura de Renato. Ele estava sozinho num canto de uma das salas, e eu, já meio alto dos copos de vinho que havia tomado, não resisti e brinquei:

– Você quer um copo de ponche, boa moça?

– Eu não posso, garoto, meu pai não deixa. Sou de família.

Risos.

– E que tal um beijo, boa moça?

– Nem pensar, garoto. Eu tenho nojo.

Muitos, muitos risos.

– Você está demais, Renato.

– Demais em quê?

– Em tudo, cara. Em tudo.

– Marcus? Renato?

– Oi, mãe.

– Vocês não acham que estão bebendo demais?

– Claro que não, mãe, por que a senhora diz isso?

– Vocês não param de rir.

– É felicidade, mãe.

Sorrindo, ela disse:

– Seu avô está procurando você, Marcus.

Mais risos.

– A quem ele vai me apresentar agora, mãe?

– Não é isso, Marcus. Seu avô quer você na outra sala para cantar o *Parabéns a você*.

– Mas mãe, o vô está louco, eu vou fazer 17 anos e não 7.

– Marcus!

Após reunir as pessoas, meu avô comandou a música de parabéns, como se eu fosse uma criança, com direito a "pic" e tudo mais. O bolo era enorme e minha avó tinha feito o meu predileto, que era de chocolate com recheio de nozes e leite condensado.

Passando a faca para as minhas mãos, minha avó disse:

– Agora o meu *guaglione* vai oferecer o primeiro pedaço do bolo.

Vovó estava superentusiasmada, pois há muito tempo não me chamava de *guaglione*.

Parti o primeiro pedaço do bolo e, com ele já no pratinho, pedi silêncio a todos na sala:

– Eu precisaria de vários primeiros pedaços de bolo para oferecer às pessoas importantes na minha vida, mas como eu tenho de escolher apenas uma... Eu...

– Oferece logo, Marcus! Não fica em cima do muro.

Após o meu primo Daniel ter dito isso, o salão inteiro, em coro, gritava: "Oferece! Oferece! Oferece!"

– Eu ofereço a uma pessoa, cuja participação foi fundamental na minha vida. Eu...

– Oferece logo!

– O meu primeiro pedaço de bolo vai para...

– A Ana desmaiou! A Ana desmaiou!

Minha mãe havia desmaiado. A correria foi geral para socorrê-la, mas de tanto que esfregaram álcool em seu nariz logo ela recobrou os sentidos. Com dificuldade – havia uma roda de pessoas à sua volta – consegui me aproximar do sofá onde ela estava:

– Mãe! O que aconteceu?

Vovó respondeu por ela:

– Não é nada, Marcus. Sua mãe deve ter comido sardella demais. Depois ela fala com você. Agora seu pai e eu a levaremos para descansar no quarto. Vamos, Giorgio!

– O que aconteceu com a sua mãe, Marcus?

– Ela desmaiou, Renato, mas já está melhor.

A festa continuou normalmente e acabei não oferecendo o primeiro pedaço do bolo a ninguém. Inconformado por não acompanhar minha mãe até o quarto, resolvi subir. Com algumas batidas suaves na porta, a chamei:

– Mãe? Mãe? Posso entrar?

– Pode, filho.

Meu pai estava ao seu lado.

– A senhora está melhor?

– Estou, meu filho.

– Foi a sardella que fez mal à senhora?

Meu pai respondeu por ela:

– Não foi a sardella, Marcus. Posso fazer uma pergunta a você?

– Claro pai, o que é?

– Para quem você ia oferecer o bolo?

– Não estou entendendo, pai!

– Responda, filho. Para quem você ia oferecer o bolo?

– Eu ia oferecer ao senhor. Por quê?

Eles começaram a rir.

– Do que vocês estão rindo? Não estou entendendo!

Novamente meu pai tomou a frente.

– Sabe como é, filho, você fez tanto suspense para oferecer o primeiro pedaço de bolo, que sua mãe, sabendo que você havia bebido um pouco demais, imaginou que o primeiro pedaço iria para o Renato.

– Mãe! A senhora desmaiou por causa disso?

Puxando-me para um abraço, meu pai disse:

– Sua mãe não suportou a pressão dessa possibilidade e desmaiou. Isso é mais comum do que se pensa, Marcus.

– Mãe, eu jamais colocaria a senhora e o papai numa situação como essa!

Abraçamo-nos os três.

– A senhora me desculpa pelo suspense que criei, mãe?

– Não pense mais nisso, meu filho. Eu é que fui muito boba em pensar que você pudesse fazer isso na frente de todos.

Beijei-a.

– Agora é melhor você voltar para a festa, filho.

– Vocês não vão descer?

– Seu pai ainda vai.

Voltando à festa, encontrei Renato num dos jardins externos da casa. Sentado no banco próximo às roseiras de minha avó, parecia admirar o céu, quando em silêncio me aproximei:

– No que você está pensando?

– Marcus! Nem o vi chegar. A dona Ana está melhor?

Sentei-me ao seu lado.

– Ela está bem. E você? Por que está sozinho?

– A sua família é legal, mas eles gritam muito.

Rimos.

– Renato? Que tal um delicioso pedaço de bolo com muito chocolate?

– Você ainda não comeu?

– Não. Você pegaria para mim?

– Pego, Marcus.

– Ponche também?

– Pego, Marcus!

A felicidade que sentia era tão intensa, que às vezes me deixava assustado. Sempre ouvia meus pais se referirem à felicidade como algo distante, e sempre, sempre como alguma coisa do passado.

– Pronto, Marcus! Bolo de chocolate e ponche.

Peguei apenas o copo.

– O bolo quero que você me dê na boca, Renato.

– É perigoso, Marcus. Alguém pode nos ver.

– Não precisa se preocupar, ninguém vem aqui.

Naquele momento, uma certeza me veio à cabeça: Deus jamais condenaria um amor tão verdadeiro como o meu. Um sentimento puro como este, desprovido de qualquer preconceito, egoísmo, inveja, nojo ou seja lá o que mais, não pode ser pecado. Deus teria de ser insensível para me condenar ao inferno.

Depois de comer o meu bolo predileto do melhor jeito possível, subimos ao quarto para descansar. Renato nem quis tomar banho e, acomodando-se no colchonete, adormeceu quase que imediatamente. Não sei se havia algo estratégico no quarto preparado pela minha mãe, mas, além de os três colchonetes serem bem distantes entre si, no meio dormia o meu primo Daniel.

Precisando muito de um banho, peguei meu pijama e fui para o banheiro. Já me enxugava quando Daniel entrou.

– Oi, Marcus.

– Oi, Daniel. Ainda é muito cedo para levantar.

– Eu ainda não dormi.

Achei estranha a resposta, pois quando eu e Renato entramos no quarto, ele estava dormindo.

– Posso te fazer uma pergunta, Marcus?

– Pode. O que é?

– O que rola entre você e o Renato?

– Não entendi, Daniel.

– Eu gostaria de saber o que rola entre vocês...

Imaginei que Daniel desconfiava de alguma coisa, mas me fiz de morto.

– Nós somos amigos, por quê?

– Amigos não fazem o que vocês fizeram, Marcus.

Percebi que era sério. Respirei fundo e parei de me enxugar.

– Não entendi, Daniel.

– É muito estranho um homem ficar dando "bolinho" na boca de outro homem. Você não acha?

Fiquei alguns segundos em silêncio e, antes de dizer alguma coisa, fechei a porta do banheiro:

– Olha, Daniel, esse é um assunto muito sério e pessoal.

– É o que eu estou pensando, não é?

Enrolando a toalha na cintura, e sem olhar nos seus olhos, disse:

– Já faz algum tempo que eu gosto do Renato, só que ninguém sabe de nada e isso deve continuar assim.

Silêncio.

– E tem mais, Daniel, acho que a gente pode falar sobre isso mais tarde. Ok?

– Ok, primo!

Demorei mais de meia hora para voltar ao quarto e, quando entrei, Daniel dormia – ou fingia dormir. Ele representava um problema a ser resolvido com o amanhecer do dia.

17

Descemos para o café da manhã às onze horas. Quase todos os parentes ainda estavam à mesa, mas tomando café só meus pais e Daniel. Entre queijos, salames e pão italiano, a mesa da cozinha sempre foi e sempre será o lugar escolhido pela minha família para colocar todos os assuntos em dia. Sentado à minha frente e demonstrando certa impaciência, Daniel me olhava de um jeito tão diferente que era impossível imaginar o que se passava pela sua cabeça. Minha mãe me servia um copo de leite quente com açúcar, quando meu avô perguntou:

– Qual o nome da sua namorada, Marcus?

– Nome de quem, vô?

– Da sua namorada?

Disse o primeiro nome que me veio à cabeça.

– Beatriz, vô.

Por debaixo da mesa, levei um chute do Renato.

– Beatriz do que, Marcus?

– Eu não sei, vô.

Ele ficou nervoso.

– Como não sabe! Você namora uma menina e não sabe o sobrenome da família?

Antes que pudesse responder, minha avó entrou na conversa.

– É lógico que não sabe, Francesco. A juventude de hoje é diferente. Não seja antiquado!

Pensando, ele ficou quieto por alguns minutos e perguntou:

– Ela é virgem, Marcus?

Num esforço de segurar uma gargalhada, me engasguei com um pedaço de pão. Enquanto me davam exagerados tapas nas costas para que o pão descesse, vovó já discutia com o meu avô.

– Isso é pergunta que se faça, Francesco?

– Você não me chamou de antiquado, Luíza? Então fiz uma pergunta moderna e ele ainda não me respondeu.

– É lógico que não respondeu. Você não viu que o menino está engasgado? Ele ficou chocado com a sua pergunta. Acho que o vinho subiu à cabeça, Francesco. Onde já se viu fazer uma pergunta dessas para uma criança.

– Ele já é um homem, Luíza. Ele fez aniversário ontem.

– Ele ainda é uma criança!

– Não é, Luíza!

– Pára de falar besteira, Francesco!

Quando disfarçadamente saí da cozinha – levando um sanduíche de queijo provolone –, eles ainda discutiam; só que agora todos participavam do assunto.

Fui para a varanda da frente da casa e em poucos minutos Renato chegou.

– Eu trouxe o seu leite.

Passando o copo para as minhas mãos, ele disse:

– Tinha de ser *Beatriz!*

– Desculpe, Renato, mas foi o primeiro nome que me veio à cabeça. Você está muito chateado?

– Não é isso, Marcus. É que...

Cortei suas palavras.

– Já sei. Essa garota não deve participar em nada da nossa vida.

– É isso mesmo. Esqueça que ela existe.

– Renato, nós temos de definir um nome de garota para ocasiões como esta. Que tal... Renata?

Por pouco não levei um soco na boca.

– Eu estava brincando. Que tal... Patrícia?

Em silêncio, ele apenas me olhava.

– Deixa para lá, Renato. Não precisa responder. Você quer um teco do meu lanche?

Sorriso no seu rosto.

– Eu não consigo ficar bravo com você, alemãozinho.

Só não nos beijamos porque poderíamos ser vistos por alguém, mas trocamos olhares bem pessoais.

– Vou comprar cigarros, Marcus. Você vem comigo?

– Vou, deixe apenas eu acabar de tomar o leite.

Mudei de idéia quando Daniel entrou na varanda. Nós tínhamos um assunto pendente que não podia esperar.

– Se você quiser ir comprar cigarros, Renato, tudo bem.

Mesmo sem comentar nada com ele sobre a conversa que tive com o meu primo na noite passada, Renato logo percebeu que alguma coisa havia acontecido e, entendendo o meu toque, foi sozinho comprar cigarros.

– E aí, Daniel, vamos conversar?

Bastou um sim, para que eu o conduzisse até o jardim das roseiras. Sentados no mesmo banco da noite anterior, ele perguntou:

– Seus pais nunca desconfiaram de nada?

– Nem imaginam, Daniel.

Silêncio.

– Falei alguma coisa que não devia, Marcus?

– Não é isso. Na verdade eu gostaria de conduzir essa conversa de outro jeito.

– Me desculpe, Marcus.

Apesar de ter passado boa parte da minha infância brincando com o Daniel, no fundo ele era um total desconhecido para mim.

– Já se apaixonou por alguém, Daniel?

– Por quê?

– Responda.

– Paixão, paixão, acho que não, mas gosto muito de uma garota, Marcus. O nome dela é Iara.

– Vocês estão namorando?

– Mais ou menos, a gente sai de vez em quando. Mas o que isso tem que ver com o nosso assunto?

Pedi a ele paciência e continuei a perguntar:

– Você já transou com a Iara?

– Já.

– E o que vocês fazem na cama?

Nervoso, ele disse:

– Isso é pergunta que se faça? Esse assunto não diz respeito a você, cara.

– Não precisa ficar puto da vida comigo, Daniel. Era justamente neste ponto que eu queria chegar.

Visivelmente sem graça, ele havia entendido o recado.

– Como você mesmo pôde perceber, Daniel, não é muito legal ficar comentando certas coisas. É tudo muito pessoal. Boa parte do que você precisa saber eu já contei.

Meu instinto estava correto. Para quem esperava ouvir muito mais do que ouviu, aquilo era uma frustração.

– Como primo e amigo, eu peço a você, Daniel, que respeite a minha opção de vida, não comentando nada com ninguém.

– Tudo bem. Da minha boca ninguém nunca vai saber de nada.

– É isso aí, cara.

Antes de voltar à varanda, ele fez mais uma tentativa:

– Posso perguntar só uma coisa, Marcus?

– O que é?

– De maneira alguma quero que você fique ofendido com a minha pergunta, mas estar com um cara — e eu não estou falando do Renato — não dá a você um certo... um certo nojo?

Percebendo que eu não havia gostado nem um pouco da pergunta, ele disse:

– Não fique ofendido, Marcus. Eu só estou dizendo isso porque mulher é mulher. Não tem pêlos no corpo, está sempre perfumada, sem falar do jeito feminino de fazer as coisas. Você não acha?

– Acho, Daniel. Mas acho também que o homem tem a sua beleza. E tem mais, cara, eu nunca tive outra pessoa além do Renato.

– Ele já sabe que eu sei?

– Não.

– Você vai contar a ele?

– Não.

Sem dar tempo a uma nova pergunta, fui me levantando.

– Vamos voltar para a varanda, Daniel?

– Ok.

Frustrado ou não, ele teve de conter sua curiosidade.

– É isso aí, Daniel!

– Falou, primo.

Ele voltou para a cozinha e como Renato ainda não havia chegado decidi encontrá-lo no caminho. Estava a dois quarteirões da casa quando avistei meu namorado bebendo um cafezinho no balcão da padaria.

– Quer um gole, Marcus?

– Não, Renato, obrigado.

– Falou com o seu primo?

– Hã, hã.

– E?

– Tudo certo.

Ele não sabia o motivo da conversa, mas esperou que saíssemos da padaria para perguntar.

– E aí, Marcus? O que rolou?

– Ele nos viu conversando ontem à noite no jardim da casa.

– Então ele viu o lance do bolo!

– Viu.

– Que droga! E agora?

– Fique frio que está tudo bem. Eu contei a ele que nós estamos namorando, e só.

– E você acha pouco?

Comecei a rir.

– Esconder a minha opção sexual depois do que ele viu e, provavelmente, ouviu não adiantaria nada. Não esqueça, Renato, que além do lance do bolo, por várias vezes eu o alisei sobre o jeans.

– E agora, Marcus?

– Ele pensa que meus pais não sabem de nada.

Fiz cabaninha com as mãos para que ele pudesse acender o cigarro.

– E tem mais, Renato. Disse a ele que não contaria nada a você sobre a descoberta dele. Portanto, faça de conta que não sabe que ele sabe.

– Você acha que nós podemos confiar nele?

– Claro. O que ele ganharia contando aos outros sobre a minha vida?

– Acho que nada.

– É só você fazer de conta que não sabe de nada, que vai ficar tudo bem, cara.

O fim de semana seguiu sem maiores problemas. A única coisa diferente, mas que ninguém percebeu, foi a atitude do Daniel para comigo. Ele continuava educado como sempre, mas toda vez que me olhava, fazia-o de cima para baixo, como a demonstrar uma certa superioridade que só existia na cabeça dele. Esse estranho olhar se completava com uma atitude física mais ridícula ainda, que era a de coçar o pau sobre o jeans, gesto esse que, com certeza, não fazia parte do seu dia-a-dia. Não sei exatamente aonde Daniel queria chegar com isso, mas uma coisa ficou muito clara para mim: a mensagem que ele me passava era algo como "sou homem, sou macho", ou coisa do tipo. Acho até que um símio faria esse papel muito melhor.

De volta a São Paulo – saímos de Jundiaí no domingo à tarde –, pudemos finalmente nos sentir mais relaxados. Cansados da viagem, meus pais foram dormir cedo, deixando a sala toda para nós. Assistindo a um filme, Renato acariciava meus cabelos enquanto eu, confortavelmente deitado no sofá, mantinha o seu colo como travesseiro.

– Que sossego, hein, Marcus?

– Hã, hã.

– A sua família é legal, mas eles fazem muito barulho.

– Meu avô adora uma bagunça, Renato.

Rimos.

Ainda com a cabeça no seu colo, comecei a ser beijado por ele. Primeiro sua língua deslizou pelo contorno dos meus lábios para só depois se juntar à minha, num beijo lento, úmido e quente. Sensível àquele momento fértil, meu corpo pedia mais. Tentei me levantar para fazê-lo deitar, mas não consegui:

– Não tenha pressa, alemãozinho. O mundo é todo nosso.

Mais beijos.

– Eu... nem te dei o meu presente ainda.

Beijos.

– Fiz algo diferente, alemãozinho.

Beijos.

– Eu queria algo que durasse para sempre.

Beijos.

– E consegui. Só que o meu presente... você não poderá levar.

Beijos.

Quando ele arregaçou a manga da camiseta branca até a altura dos ombros, pude ver como ficara bonita a tatuagem de um "M" no seu braço direito.

18

Sem que pudéssemos perceber, aos poucos o nosso dia-a-dia foi se transformando. É interessante como as coisas mudam quando se faz algo escondido da sociedade. Uma das perdas que mais senti foi o contato com a turma do colégio. Já não tínhamos como participar com eles do agito normal, uma vez que os objetivos eram diferentes. Todos os programas da turma tinham como resultado conseguir mulher. As únicas participações que ainda mantínhamos era a de estar com nossos amigos nos intervalos das aulas e, pelo menos duas vezes por semana – após o colégio –, irmos a uma lanchonete agitar um pouco. Aliás, falando em lanchonete, uma vez dei um tremendo fora. Devíamos ser quinze pessoas mais ou menos e, querendo experimentar o lanche do Renato, segurei o seu punho e trouxe pela sua mão o lanche até a minha boca. O pessoal não perdoou. Tivemos de ouvir desde "Bicha!" até "Você quer o meu lanche na boquinha também, Marcus?" Por sorte todos acharam que se tratava de uma brincadeira, e em pouco tempo tudo estava esquecido. Depois desse fora, nossos cuidados foram redobrados. Não deixávamos transparecer a real importância que um tinha para o outro. Disfarçávamos tão bem no colégio, que várias foram as vezes em que o nosso contato não passava de um "Tudo bem?"

Geralmente voltávamos para casa a pé e, aí sim, conversávamos bastante. O assunto principal era o nosso futuro ou, especificamente falando, como seria a nossa vida quando pudéssemos morar juntos. Vez ou outra Renato vinha para a aula com o carro do Carlos e, nesses dias, era possível namorarmos um pouco. Estacionando o carro numa rua de pouco movimento – era sempre a mesma –, podíamos nos beijar, abraçar e acariciar um ao outro sem maiores problemas. Pelo perigo de assalto que corríamos, tudo, tudo era muito rápido.

Outro momento absolutamente simples, mas muito gostoso, era quando estudávamos em casa. Sobre a grande mesa retangular de madeira – mais parecia uma mesa de fazenda –, nossos livros e cadernos se espalhavam sem qualquer harmonia, enquanto, em perfeita sintonia e apenas de meias — quase sempre brancas — nossos pés se encostavam e se acariciavam de um jeito tão especial, como só duas pessoas apaixonadas saberiam fazer.

Pela primeira vez como namorados havíamos combinado de ir ao cinema. Tudo estava esquematizado para o sábado. Sentaríamos nas poltronas do fundo, com direito a pipoca e amassos como qualquer casal. Minha ansiedade por esse programa era tão grande, que cheguei do colégio muito contente na sexta-feira. Minha mãe estava no quintal estendendo roupa no varal. Com passos silenciosos me aproximei dela e, por trás, a abracei.

– Cheguei, mãe!

– Qualquer hora você me mata, filho.

– Não precisa se preocupar, mãe. Ninguém morre de susto.

– E lá no colégio? Foi tudo bem?

Respondi que sim já me dirigindo à cozinha.

– A Beatriz ligou, filho.

Servindo-me de um copo de suco de laranja com um pouco de limão, perguntei:

– O que ela queria, mãe?

O telefone tocou.

– Ela quer falar com você. Aliás deve ser ela no telefone. Você atende?

– Atendo.

Antes de ir para a sala, rapidamente peguei um potinho com mantecal.

– Alô? Oi, Beatriz, tudo bem? Lógico que reconheço a sua voz.

Pensei comigo: não só reconheço a voz, como o corpo todo de olhos fechados.

– Hoje, Beatriz? É tão importante assim? Tá legal, oito horas. Um beijo.

Minha mãe entrou na sala.

– O que ela queria, Marcus?

– Não sei. Ela quer falar pessoalmente e virá me buscar às oito da noite.

Risos.

– Do que a senhora está rindo?

– É que no meu tempo era o rapaz quem ia buscar a moça.

– Não tem nada a ver. Ela só virá porque está de carro.

Subi para tomar banho e, no chuveiro, pensei no que poderia ser tão importante. Cheguei à conclusão de que ela só podia estar a fim de uma única coisa: transar.

Desci para o jantar e minha mãe já estava à mesa:

– E o papai?

– Ele vai se atrasar um pouco.

Como de costume, antes do prato principal, me servi de uma salada. Não houve tempo para comer mais nada, pois logo a buzina tocou.

– Tchau, mãe.

– Mas você não comeu nada, filho!

– Não dá tempo. Depois eu como alguma coisa.

– Peça para a Beatriz entrar, Marcus.

– Não dá, mãe. Já está muito tarde. Outra coisa, se o Renato ligar, diga que saí, mas a senhora não sabe com quem. Tudo bem?

–Tudo bem, filho.

Beatriz estava em pé encostada no carro.

– Tudo bem, Marcus?

– Tudo bem, Beatriz. E com você?

– Estou indo.

Achei estranha a sua resposta, mas nos cumprimentamos com um leve beijo nos lábios e entramos no carro.

– Você sugere algum lugar, Marcus?

Só não sugeri que fôssemos transar porque não seria honesto com o Renato. Apesar de ser completamente apaixonado por ele, aquela garota mexia comigo de uma forma muito estranha.

– Eu conheço um barzinho bem tranqüilo. Fica próximo à rua Henrique Schaumann. Vamos até lá?

A caminho do bar, por mais que tentasse, não trocamos uma palavra sequer. Disfarçando um certo nervosismo, ela simplesmente não respondia a nenhuma das minhas perguntas.

À mesa é que pude perceber como suas mãos estavam frias.

– Você está com algum problema, Beatriz?

– Acho que nós estamos.

– Nós?

– Estou grávida, Marcus.

Senti que o chão havia desaparecido e, antes que pudesse pensar em alguma coisa, o garçom chegou:

– Boa noite. O que vocês vão querer?

Ela pediu um suco de frutas e eu, ainda em estado de choque, nada respondi. Ele insistiu:

– O senhor vai querer alguma coisa?

– Eu? Ah... sim... Uma cerveja, por favor.

Um frio tomou conta do meu corpo.

– Você tem certeza de que está grávida?

– Tenho. Estou de três meses. E você é o pai.

– Mas... Mas não é possível, Beatriz. E as pílulas?

– Falharam.

Silêncio enquanto o garçom nos servia.

– Você está chateado comigo, Marcus?

– Não, não é isso. Na verdade... não sei nem o que pensar.

– Você gosta de mim?

– Claro que gosto. Mas... Você sabe, eu... amo o Renato. Nós estamos noivos. Meu Deus! O que ele vai pensar de tudo isso?

– Não me deixe sozinha nessa hora, Marcus.

– Beatriz, não chore.

– Meu... pai me expulsou de casa, Marcus. Estou na rua desde às onze horas da manhã. Estou cansada e precisando de um banho para relaxar.

– Não precisa chorar, Beatriz. Jamais te deixaria na mão.

Todos à nossa volta nos olhavam.

– Garçom! Garçom! A conta, por favor!

– Desculpe... por fazer você passar... por isso, Marcus.

– Você não tem culpa nenhuma.

Chorando, ela apertava a minha mão direita.

– Você precisa descansar, Beatriz. Vamos para a minha casa.

– Mas... e os seus... pais?

– Não se preocupe com isso.

Ela tremia tanto que eu mesmo tive de dirigir o carro. Cansada, Beatriz adormeceu; e eu, ao volante daquele Fusca velho, me sentia confuso tentando encontrar uma maneira suave de contar tudo ao Renato. Nervoso com o trânsito absurdo de São Paulo, acabei por acender um cigarro. Foi pior. Engasguei fortemente na terceira tragada. Acho que puxei demais. Nunca deveria tê-lo pegado no porta-luvas.

Sete voltas no quarteirão de casa foram suficientes para que eu me acalmasse. Estacionei o carro.

– Beatriz! Beatriz!

– Desculpe, Marcus. Acho que adormeci. Nós já chegamos?

– Já. Vamos descer?

– Não sei se estou preparada para encarar seus pais.

– Não se preocupe com isso. Estarei ao seu lado o tempo todo.

Abraçamo-nos.

– Essa mala no banco de trás é sua?

– É... Quando meu pai me expulsou... de casa, ele... também jogou...

– Não fale mais nada, Beatriz.

Novamente nos abraçamos.

– Não chore mais. Tudo vai dar certo.

Quando meus pais me viram entrar abraçado a ela e carregando uma enorme mala, nada entenderam. Tudo foi muito rápido. Como um raio, atravessamos a sala em direção à escada, e de lá pedi a meu pai que fizesse o favor de fechar a porta.

Já no segundo andar, levei Beatriz até o banheiro do corredor.

– Não fique nervosa. Tudo vai dar certo.

– Estou morrendo de vergonha, Marcus.

– Não precisa ficar com vergonha. Tome o seu banho sem pressa e depois vá ao meu quarto. Pode sair de toalha mesmo, que ninguém vai subir aqui.

– Mas e os seus pais?

– Vou descer para falar com eles. Depois eu subo.

Eles continuavam sentados, só que um do lado do outro, com os olhos arregalados. Fui até a cozinha, peguei uma cerveja, me sentei no sofá menor, tirei o tênis e disse:

– Tudo bem?

Meu pai respondeu:

– Nós é que perguntamos. Está tudo bem?

– Por enquanto, sim.

Levantando-se, meu pai disse:

– O que está acontecendo, Marcus?

– A Beatriz está grávida de três meses, pai.

– Grávida?

– Hã, hã. E eu sou o pai.

Podia-se perceber a expressão de felicidade no seu rosto. Acho que se pudesse, ele soltaria mil rojões.

– Filho! Acho que a gente precisa conversar. Você não acha?

– Com certeza, pai. Mas primeiro preciso saber como ela está. Beatriz foi expulsa de casa e, até que tudo se resolva, ela terá de ficar aqui com a gente. Vocês concordam?

– Claro, filho! Ela pode ficar aqui o tempo que quiser. Não é, Ana?

– Sem dúvida, Giorgio. Será que ela não quer comer alguma coisa, Marcus?

– Não sei, mãe. Além de cansada, ela está muito envergonhada.

– Então suba para ver do que ela precisa, filho! Sua mãe e eu ficaremos aqui embaixo até você voltar.

Meu pai estava tão excitado com a situação, que se pudesse ele mesmo teria subido.

– Tá ok, pai. Daqui a pouco eu desço.

Antes de entrar no quarto, bati suavemente à porta:

– Beatriz?

– Pode entrar, Marcus.

De frente para o espelho, ela tentava colocar o sutiã.

– Você me ajuda com o fecho?

– Hã, hã.

Nossos corpos estavam tão próximos um do outro, que acabei abraçando-a por trás.

– Obrigada por não me deixar sozinha neste momento, Marcus.

Difícil dizer qual de nós se sentia mais inseguro.

– Não é melhor você tentar dormir um pouco, Beatriz?

– Você fica comigo?

– Até você adormecer, sim.

Deitados lado a lado, ficamos em completo silêncio e, tentando esquecer a realidade, adormeci.

Acordei num sobressalto e, mesmo com o meu corpo suado, tive a impressão de ter dormido por segundos. Sem fazer barulho, saí do quarto levando um travesseiro e um cobertor.

Sentados, meus pais dormiam no sofá. Desliguei a TV e mesmo com dó de acordá-los, tive de fazê-lo.

– Pai! Pai!

– Marcus! Acho que adormeci. Que horas são?

Olhando para o relógio de parede, pude perceber o tempo que os havia feito esperar.

– São duas horas da manhã, pai.

Sorrindo, ele disse:

– Você demorou a descer, filho. Está tudo bem?

– Hã, hã. A Beatriz já está dormindo.

– Sua mãe e eu estamos meio confusos com tudo isso.

– É, pai.

– Sem pressa, Marcus! Quando você se sentir à vontade para falar, seu pai estará aqui para ouvi-lo.

Abraçamo-nos.

– Pai! Eu preciso de um favor seu.

– Fala?

– Eu preciso que amanhã a mamãe não esteja em casa entre meio-dia e duas horas da tarde.

Olhar interrogativo.

– É que nesse horário o Renato vai estar aqui. Nós havíamos combinado de sair. Só que ele não sabe nada do que está acontecendo.

Silêncio.

– E conversar na rua, pai, é complicado.

– Acabo de decidir uma coisa, Marcus. Amanhã, sua mãe e eu passaremos o dia em Jundiaí. Seus avós vão gostar. Sairemos de manhã e só voltaremos à noite.

– Valeu, pai.

Definitivamente, ele estava feliz.

– Bem, Marcus, é melhor eu acordar a sua mãe. Nós já podemos subir? Ou como vocês dizem: tá limpo?

Risos.

– É isso aí, pai.

– Pelo jeito, você está pensando em dormir no sofá.

– Hã, hã.

– Venha para o nosso quarto, filho. É só colocar o colchonete ao lado da cama.

– Se o senhor não se importar, gostaria de ficar aqui na sala mesmo e sem colchonete.

– Entendo.

Mais uma vez nos abraçamos.

– Outra coisa, filho. Caso amanhã você precise de mim para alguma coisa, é só ligar para os seus avós, que estarei aqui em menos de uma hora.

– Obrigado, pai.

19

Na manhã seguinte, acordei com o sol me queimando o rosto. A cortina mal fechada da sala deixava uma maldita fresta, por onde entrava uma claridade enorme. Era tanta luz, que por pouco não imaginei um óvni estacionado na frente de casa. Apenas com o movimento dos olhos verifiquei o horário no cuco. Os ponteiros marcavam nove horas. Muito cedo para quem havia conseguido dormir lá pelas três horas da manhã. Completamente imóvel sobre o sofá, decidi que nem a maldita fresta na cortina me faria levantar. Protegido pelo cobertor, me livrei de boa parte da luz, solução que só não foi perfeita por causa do calor. Mesmo que Beatriz descesse naquele momento, eu fingiria estar dormindo.

Por instantes pensei na loucura que estava acontecendo comigo: uma garota grávida dormindo no meu quarto; o meu noivo para chegar e um primo que havia descoberto a minha bissexualidade.

Estava cada vez mais insuportável ficar com a cabeça coberta. O calor era demais. Resolvi levantar e tomar um banho, mas antes fechei aquela droga de cortina.

– É assim que você deveria estar! Tá vendo? Tá vendo? Filha da puta!

De verdade mesmo, só acordei embaixo do chuveiro e, com uma toalha enrolada na cintura, fui ao meu quarto para me trocar. A porta estava aberta, e Beatriz – já vestida – mexia na mala. Ela estava com uma roupa do tipo "macaquinho". Aliás, por que será que tem esse nome? Deixa pra lá.

– Bom dia, Beatriz.

– Bom dia, gatinho.

Ganhei um abraço gostoso.

– Você está bem melhor agora, Beatriz.

– É que ontem eu estava muito cansada.

– Entendo.

Eu procurava uma cueca quando Beatriz, por trás, me abraçou, não sem antes fazer com que minha toalha caísse.

– Nós não podemos, Beatriz.

– É difícil resistir a você, Marcus. Sua pele... é tão macia.

– Pare, por favor.

Abaixando-se, ela começou a passar a língua sobre a minha bunda e coxas. Enquanto sua mão direita começava lentamente a bater uma punheta para mim, a esquerda fazia que a sua língua fosse cada vez mais fundo. Ela até gemia. Foi demais! De pé, esporrei com tudo. Pior, gozei sobre a gaveta aberta do guarda-roupa.

– Você me deixa louca, sabia?

Ela continuava abaixada atrás de mim, só que em vez de beijos, seus lábios davam leves mordidas.

– Gostou, gatinho?

– Gostei, só que não podíamos ter feito isso.

Ignorando minhas palavras – dava até a impressão que nunca foram ditas –, Beatriz, ainda por trás, me abraçou.

– Eu gosto muito de você, Marcus.

Naquele momento, o remorso já se fazia presente. Por que será que não consigo resistir aos carinhos dessa garota?

– O café já está na mesa, Beatriz. Se você quiser ir descendo, tudo bem. Estamos sozinhos.

– Eu sei. Ouvi seus pais conversando hoje cedo. Eles só devem voltar no fim da tarde. Você acha que se eles estivessem aqui, eu estaria com a porta aberta?

– Acho que não.

Demos mais um beijo e descemos juntos para a cozinha.

– Em casa eu não tenho essa mordomia toda, Marcus.

Sorri e, puxando a cadeira para ela sentar, falei:

– Na garrafa térmica azul tem café amargo; na bege, café com açúcar; e na branca, leite fervido.

Antes de me sentar, fui até a geladeira pegar a jarra com suco de laranja.

– Posso pedir uma coisa, Marcus?

Disse que sim apenas com o movimento da cabeça.

– Eu gostaria que você começasse a me chamar de Bia.

– Bia?

– Hã, hã.

– Quem te chama assim, Beatriz?

– De vez em quando, o Renato. Tudo bem?

– Tudo bem, Bia.

Rimos.

– Vou fazer um sanduíche de queijo quente. Você quer um, Bia?

Novamente rimos.

– Quero.

Sexualmente, a Beatriz me dava muito tesão. Aquele jeito de menina que ela tinha me agradava muito. Quem a visse tão comportadamente tomando café, não imaginaria do que aquela garota era capaz de fazer na cama.

– Seus pais falaram alguma coisa, Marcus?

– Ainda não pude conversar direito, mas deu para sacar que eles estão muito contentes com tudo isso.

– Contentes?

– É. Entre um filho bissexual e um heterossexual, eles preferem o segundo.

Ela quase derrubou a xícara na mesa.

– Eles sabem de alguma coisa?

– Sabem de tudo. Eu contei a eles.

– Inclusive do Renato?

– Hã, hã.

– E eles aceitaram tudo isso numa boa?

– Não foi tão simples assim, Beatriz, mas... aceitaram.

– E o seu Júlio e a dona Inês?

– Também sabem.

Ela estava completamente chocada, tanto que nem conseguia falar direito.

– Nossa! Não sei nem o que pensar, Marcus! Tudo isso é tão incrível!

– Troque a palavra "incrível" por "difícil".

– Eu não teria a coragem que vocês tiveram.

– Entre viver e morrer, nós optamos por viver, Beatriz.

– Como assim, Marcus?

– Viver uma vida mentirosa só para agradar aos outros é estar morto em vida, você não acha?

Não sei por que, mas me lembrei de quando transamos os três na pousada. Ela é toda raspadinha na frente, quase não tem pêlos. É uma gracinha. Dá para ver o pau entrando direitinho.

– Posso perguntar uma coisa, Marcus?

– O que é?

– Eu gostaria que você fosse muito sincero na sua resposta.

– Fale, Beatriz, o que é?

– Bia, Marcus.

– Desculpe, é que ainda não me acostumei.

– O que você sente por mim, Marcus?

– Eu gosto de estar com você...

Me servi de um pouco de suco antes de continuar a falar. Seu olhar acompanhava cada movimento meu.

– Não sei direito o que sinto por você, Beatriz, mas sei que sem o Renato eu não vivo.

Ela começou a chorar.

– Desculpe, Beatriz. Eu não pretendia te ofender.

– Você não gosta nem um pouquinho de mim, Marcus?

– Gosto, Beatriz, mas... é diferente.

Ela continuava a chorar; e eu, sem saber o que fazer, me levantei da mesa e, encostado no gabinete da pia, tentava pensar em alguma coisa, quando ela disse:

– Eu viveria... com vocês dois.

Confesso que também já havia pensado nisso, mas seria muito complicado. O Renato não aceitaria essa relação a três, nunca! Mesmo eu tinha dúvidas se isso seria bom ou ruim para nós.

– É melhor você tentar se acalmar, Beatriz. Tome um pouco de suco.

– Eu não quero, Marcus.

– Tome. Vai te fazer bem.

Derrubei o copo de suco na mesa.

– Droga!

– Me abrace, Marcus.

Abraçado a ela, eu não conseguia deixar de pensar que Renato poderia chegar a qualquer momento. Conversávamos, quando a campainha tocou:

– Beatriz! Deve ser o Renato!

– E agora, Marcus? Eu ainda não estou preparada para falar com ele. Me sinto insegura.

– Eu sei disso. Por isso mesmo, acho melhor você subir e esperar lá em cima.

Respirei fundo antes de abrir a porta:

– Você deve ser o Marcus!

Sem cerimônia, o rapaz foi entrando. Ele devia ter a minha idade.

– Onde está a minha irmã? E não minta para mim! O carro dela está estacionado na porta.

Eu nem sabia que a Beatriz tinha um irmão.

– Sua irmã está descansando lá em cima. O que você quer com ela?

– Como o que eu quero com ela? É minha irmã, cara!

Sozinho, ele foi subindo as escadas:

– Beatriz? Beatriz? Beatriz?

– Você não pode ir entrando na casa dos outros desse jeito, cara!

– Por quê? Você vai me impedir?

– Se você não parar, vou!

– Então venha! Estou louco de vontade de encher a sua cara de porrada!

Beatriz apareceu na escada.

– Leonardo!

Como se não existissem degraus, ele a puxava fortemente pelo braço.

– Vamos para casa, Beatriz!

– Pára com isso, cara!

Tentando impedi-lo, levei um soco na boca. Nervoso, me levantei e revidei em seguida. Estávamos a ponto de resolver o problema no braço, quando Beatriz, entre nós, começou a gritar:

– Parem! Parem! Parem!

Parei, mas ele não. Pego de surpresa, e pelas costas, tive o pescoço preso pelo seu braço. Foi tão forte a chave de braço, que caímos os dois no chão. Beatriz aos gritos tentava fazê-lo parar, mas ele continuava a apertar. Só me livrei quando, com o cotovelo, acertei seu estômago. O cara parou! Beatriz, com medo de que a briga recomeçasse, abraçou-se a ele. Chorando, ela disse:

– Vocês... não podem brigar. Vamos embora... Leonardo.

No outro canto da sala, não agüentei e falei:

– Se você não quiser ir, não precisa, Beatriz!

Nervoso, ele gritou:

– Está vendo como ele provoca? Só porque é rico, acha que tem o direito de azarar a irmã dos outros! Mas comigo não! Ela é de família! Tem pai, tem mãe e tem irmão. Não é sozinha, viu?

– Eu não estou querendo provocar você! Só acho que você tem de respeitar um pouco mais a sua irmã!

– Quem é o irmão? Sou eu ou é você?

– É você!

Beatriz interveio:

– Não comecem tudo de novo! Vamos embora, Leonardo!

O cara era um completo revoltado e, como diria o meu avô Duílio: "com um carcamano, não adianta conversar". A pedido de Beatriz, peguei a mala e as chaves do Fusca no quarto.

– Mais tarde eu ligo, Marcus.

– Falou, Beatriz.

Me senti bem mais leve depois que saíram e, antes de colocar ordem na casa, me servi de uma dose de uísque com gelo e subi para um banho. Meu pescoço incomodava demais e um pequeno corte na gengiva doía muito, mas, acima de tudo, o que precisava mesmo era relaxar. No chuveiro, enquanto a água quente caía sobre os meus ombros, de olhos fechados eu tentava imaginar a forma mais suave possível de contar toda a confusão da gravidez para o Renato. Com certeza ele ficaria puto da vida comigo, mas nada que duas pessoas apaixonadas não pudessem resolver. Iria esperá-lo do jeito que ele mais gostava de me ver: de short, sem camiseta e descalço. Principalmente descalço.

20

Estava me servindo de mais uma dose de uísque, quando a campainha tocou. Atendi a porta com o copo na mão:

– Oi, Renato!

Seus olhos estavam vermelhos e seu olhar estranho. Sem nada dizer, evitou meu beijo e foi entrando. Fechei a porta devagar. Meu noivo não estava bem e com certeza já devia saber de alguma coisa. Quem será que contou?

Sentado no sofá, com os cotovelos sobre as pernas, ele mantinha as mãos no rosto quando me aproximei. Ajoelhado à sua frente – eu usava apenas um curto e apertado short jeans – tentei entrar no assunto:

– Vamos conversar?

Sem resposta.

– Você tem razão de estar chateado comigo. Fui muito moleque.

Suas mãos continuavam a esconder o rosto e as minhas deslizavam suavemente pelas suas pernas.

– Não sei o que te contaram, mas sei que te amo, cara.

Silêncio.

– Que tal me perdoar com um beijo?

– Para você tudo não passa de brincadeira, não é, Marcus?

Comecei a beijar suas mãos.

– Uma puta faria melhor que isso, Marcus! Talvez você devesse aprender mais com a Beatriz.

– Você está me ofendendo, Renato.

– Eu? Você tem certeza de que sou eu?

– Sei que você está chateado comigo, mas...

– "Mas" o quê? Você me trai com aquela putinha e quer que eu fique calmo, é isso?

– Isso não é verdade!

– Ah, não?

Levantando-se, ele fez que eu também me levantasse e, com as mãos sobre os meus ombros – quase sem distância entre nós –, perguntou:

– Olhando nos meus olhos, Marcus: você só transou com ela na pousada?

Pensei em mentir, mas falei a verdade.

– Não, mas...

Com força, fui empurrado para trás e, por sorte, caí sobre o sofá pequeno. O copo voou da minha mão, indo se espatifar na parede.

– Eu só fiz isso uma vez, Renato. Me escute, por favor!

– Tire as mãos de mim, Marcus!

Pela segunda vez ele me jogou longe. Bati com as costas no *rack* e, por segundos, fiquei sem ar.

– Você... me machucou.

– É pouco pelo que você fez!

– Você está muito nervoso, cara e...

– "E" o quê? Qualquer um ficaria puto da vida se descobrisse que o seu noivo está transando por aí!

– Eu não estou transando por aí... Só fiz isso uma vez!

– Não importa a quantidade de vezes que você transou! É a traição que conta! Tra-i-ção!

– Não precisa gritar, Renato!

– Eu não estou gritando!

Ficamos algum tempo na sala em completo silêncio. Meu coração batia muito forte.

– Perdão, Renato. Não pensei que isso o deixaria tão chateado.

– Não acredito no que estou ouvindo! Você só pode estar louco! O que o fez pensar que eu aceitaria tudo isso numa boa?

– Beatriz.

Ele ficou mais nervoso ainda.

– Essa putinha disse isso?

– Não! Ela não disse nada. Eu é que pensei que as coisas ficariam mais ou menos bem, por ser ela a terceira pessoa.

Comecei a chorar.

– Desculpe, Renato. Eu pensei que nós três pudéssemos viver juntos. Você, eu e a Beatriz...

Foi um choque para ele.

– Não é possível, meu Deus! Você decidiu por nós que ela faria parte da nossa vida! É isso, Marcus?

Me aproximei dele.

– Foi meio inconsciente, mas é isso.

Quase não terminei a frase. Levei uma porrada muito forte e novamente fui parar no chão. Minha boca começava a sangrar.

– Estar com ela, Renato, não diminui em nada o que sinto por você. Viver sem ela eu consigo, mas viver sem você é impossível. Eu amo demais você.

Debruçado sobre o barzinho, ele começou a chorar. Seu choro era tão baixo e com tanto sentimento, que ecoava como um trovão dentro do meu peito.

– Você não podia ter feito isso comigo, Marcus... Depois de tudo que a gente passou juntos.

– Perdão, Renato.

– Por nós, eu enfrentei todo mundo... você... você não tinha o direito de esconder isso de mim. Não tinha... não tinha!

– Me perdoe, por favor.

– Ontem à noite... os pais da Beatriz foram lá em casa. Eles estavam desesperados à procura dela. Mesmo envergonhada, dona Neusa perguntou se eu conhecia o namorado da filha deles.... A única coisa que sabiam era o nome do rapaz... Nem me passou pela cabeça que esse Marcus fosse você.

Chorando, me aproximei dele.

– Desculpe por tentar trazer a Beatriz para a nossa vida. Agora sei que é errado. Acabo de aprender do pior jeito.

– Você me fez de idiota, Marcus. Me sinto humilhado. Me sinto usado.

Tentei abraçá-lo. Ele não permitiu.

– Sou tão bobo, que ainda fui tatuar essa droga no braço.

Choramos.

– Por favor, Renato. Vamos esquecer tudo. Beatriz não existe mais. Só eu e você, para sempre.

– Não dá mais, Marcus.

– Tudo é possível, Renato. Me escute, por favor.

– Não, Marcus. Fique com ela.

– Não me deixe! Eu preciso de você! Eu amo você!

– Você não me ama!

Silêncio.

– Você tem de acreditar em mim, Renato!

– Tchau, Marcus.

Ele apenas me olhava. Seus olhos estavam cheios de lágrimas. Corri para a frente da porta e lá fiquei, sem conseguir dizer uma palavra sequer. Minha voz, perdida entre tantos pensamentos confusos, desaparecera. Deixei que ele saísse. Comecei a chorar.

Estava com medo. Muito medo. Por que tinha feito aquilo? Será que estava ficando louco?

Trancado no quarto, me isolei de tudo. Chorando, adormeci.

21

Acordei na mais completa escuridão. De bom não havia nada naquele quarto. Mergulhado num vazio enorme, fiz força, muita força, para não chorar. Chorei. Estava chorando. Gostaria que minha mãe estivesse lá para me abraçar.

Suaves batidas na porta:

– Marcus?

Levei um susto.

– Pai!

– Eu gostaria de falar com você, filho! Estou esperando lá embaixo. Tudo bem?

– Já vou descer, pai.

Imagino a preocupação que ele devia estar sentindo.

– Pai? O senhor ainda está aí?

– Fala, filho.

– Que horas são agora?

– Oito horas.

– Obrigado, pai.

Ao tentar acender a luz do abajur, quase derrubei um copo que estava sobre o criado-mudo. Com a luz acesa, pude ver o travesseiro manchado de sangue. O meu sangue. Pensei em ligar para o Renato, mas não seria uma boa idéia. Muito mais seguro se conversássemos amanhã. Com certeza ele já deveria estar arrependido do que fez. Renato jamais me deixaria. Nós nos amávamos. Tomei banho com essa certeza e desci para falar com meus pais. Minha mãe, ao telefone, conversava com a Lídia; e meu pai, ao me ver, desligou a TV.

– O que foi isso no seu rosto, Marcus? Está inchado!

– Não é nada, pai. Depois a gente fala.

Ele entendeu que eu não gostaria de falar na frente da mamãe que, mesmo ao telefone, ouviria.

– As coisas não devem ter acontecido do jeito que você queria, certo?

– Deu tudo errado, pai. Mas acho que amanhã tudo se resolverá. Tenho de acreditar nisso.

– Você não acha importante falarmos sobre o que está acontecendo?

Não seria correto de minha parte dizer um "não", afinal de contas eles são meus pais e, desde sexta-feira, esperam por esta conversa.

– Acho, pai.

Ele ficou muito contente com o meu "sim" e, colocando a lata de cerveja sobre a mesinha da sala, disse que Beatriz havia telefonado.

– O que ela queria, pai?

– Não sei exatamente. Foi sua mãe quem a atendeu e, em seguida, a Lídia ligou. Mas acho que era para dizer que com ela está tudo bem.

Esperando por um comentário que não fiz, ele disse:

– Você percebeu como as duas se dão bem, Marcus?

– Percebi, pai. A mamãe gostou muito da Beatriz.

– Eu também. Ela parece ser uma moça muito caprichosa.

– Pega leve, pai.

– Acho que exagerei um pouco não é, filho?

– Hã, hã.

Não precisava nem conhecer a Beatriz para dizer que, definitivamente, ela não era uma garota caprichosa. Bastaria conhecer o seu Fusca.

– Vamos indo, Marcus?

– Aonde, pai?

– Pensei em jantarmos fora. Conheço um restaurante bem tranqüilo. Lá poderemos conversar à vontade. Vamos?

– Ok, pai. Mas e a mamãe?

– Iremos só nós dois, Marcus. Conversa de pai para filho.

Realmente, o restaurante que meu pai havia escolhido era bem tranqüilo. Ficamos com a mesa mais isolada e, após termos pedido as bebidas, ele entrou no assunto para minha surpresa:

– Sabe como é, filho, depois do que aconteceu entre você e a Beatriz, sua mãe e eu achamos que talvez você só precise de orientação.

Sorri.

– Eu estou falando sério, Marcus. Não sei exatamente onde sua mãe e eu erramos, mas de alguma forma nós não demos a educação correta para você. Num ponto qualquer você ficou psicologicamente preso dentro de um mundo pequeno e errado, que acabou fazendo que pensamentos estranhos fossem considerados por você como normais. A prova dessa limitação é que, na primeira oportunidade que surgiu à sua frente, você acabou fazendo sexo com uma garota. E não venha me dizer que não gostou. Você até a trouxe para dentro de casa. Estou mentindo?

– O senhor não está mentindo. Eu gostei de transar com a Beatriz, mas...

– Eu sabia que estava certo!

– Pai, não se empolgue tanto. Fale mais baixo.

– Garçom? Mais um uísque, por favor!

Seus olhos brilhavam.

– Garçom? Traga dois uísques. Meu filho vai beber comigo!

Mal sabia ele que eu já havia detonado algumas doses em casa.

– Pai!

– Ainda não acabei, filho!

Ele não me deixava falar.

– Você e a Beatriz poderiam viajar. Que tal conhecer a Europa, Marcus?

– Pai, não é por aí.

– Marcus, se vocês preferirem, viajem para outro lugar. Estados Unidos, Canadá, sei lá, você escolhe.

– Pai! O senhor sabe que não é disso que estou falando.

– Marcus, me escute! Não foi bom fazer sexo com uma mulher?

– Foi, pai, mas...

– Então, filho! Só lhe falta orientação.

– Pai! Na verdade eu sou bissexual.

– Você não sabe!

– Como não sei, pai?

– Marcus! No dia da confusão, você me disse que era homossexual. Agora você diz que é bissexual!

Nisso ele tinha razão, mas com certeza eu não era como ele: heterossexual.

– Marcus! Fazer a coisa certa é uma questão de costume, de hábito, filho! De hábito!

– Pai, fale mais baixo.

O brilho nos seus olhos era constrangedor.

– Filho, eu só te peço uma coisa. Vamos procurar um psicólogo! Sua mãe conhece um muito bom que, com certeza, poderá nos ajudar.

– Pai, acho que perderíamos tempo falando com alguém assim.

– Mas, filho, toda tentativa é válida. Dê essa chance a você mesmo!

– Pai, a minha realidade é outra.

Ele não me ouvia.

– Vamos tentar, Marcus! É importante!

Não havia como discutir.

– Tudo bem, pai. Eu aceito ir a um psicólogo, mas tem uma condição.

– Pode pedir qualquer coisa, filho. Eu aceito!

– Calma, pai. Não é tão fácil assim.

– Seja o que for, eu aceito.

Era duro ter de ofuscar o brilho nos olhos de alguém com esperança, principalmente de um pai. Do meu pai.

– Peça, filho!

– Eu gostaria que o senhor conhecesse um pouco mais do meu mundo. Esta é a minha condição, pai.

– Vamos em frente!

– Pode não ser leve, pai.

– Tudo bem. Estou preparado.

Difícil ou não, ele teria de enxergar certas coisas. Fazê-lo sair dali levando consigo falsas esperanças não seria honesto de minha parte.

– Vocês querem pedir o jantar?

Nem vi o garçom se aproximar. Meu pai disse a ele que provavelmente nem jantaríamos e pediu uma porção dupla de queijo provolone.

Expectativa com a saída do garçom.

– Posso começar a falar, senhor Giorgio?

Sorrimos.

Foi a primeira vez em que o chamei pelo nome. Me senti mais à vontade com isso.

– Disfarçadamente, pai, olhe para trás e veja o casal de namorados na mesa à sua direita.

Ele olhou.

– Olhe bem, pai.

– Olhei.

– O seu filho aqui acha a garota um tesãozinho.

Ele concordou.

– Só que o seu filho aqui, pai, também acha o rapaz um tesãozinho.

Ficamos vermelhos de vergonha.

– Posso continuar, pai?

Sem me olhar nos olhos e apenas com o movimento da cabeça, ele disse que sim.

– Então, pai, o senhor tem idéia de quantas vezes eu me masturbei pensando em rapazes iguais a este?

Ele continuava de cabeça baixa.

– Sabe, pai, eu nunca me senti um sem-vergonha por isso. Esse desejo vem de dentro, pai. De dentro. Não dá para controlar. Pai, eu gosto da figura masculina. Acho bonito. Tenho tesão.

Silêncio enquanto o garçom nos servia.

– Pai! A Beatriz não foi a primeira garota com quem saí, mas foi a única que fez coisas diferentes comigo. Além daquilo que o senhor considera normal, ela curte muito me chupar atrás... brincar com os dedos e outras coisas mais.

Ele respirou fundo.

– Voltando no tempo, pai, o senhor tem idéia de como foi difícil para mim ter de ser duas pessoas dentro de uma? De um lado, o filho prodígio do senhor Giorgio e da dona Ana; e de outro, um garoto que sente tesão por rapazes. Pai, eu estava com 13 anos quando tudo isso começou. O senhor não pode imaginar o que foi a minha cabeça dos 13 aos 14 anos, pai. Tudo foi muito difícil...

Chorei.

– Pai... tem mais uma coisa que o senhor precisa saber.

Silêncio.

– Pai! Lembra quando me cortei fazendo pipa e fui parar em estado grave no hospital? Não foi por acidente... que a gilete cortou o meu pulso.

Choramos.

– Desculpe... pai...

– Filho...

Choramos.

– Meu Deus! Onde eu estava... quando... tudo isso aconteceu? Filho, eu...

– Desculpe... pai.

Ele não conseguia falar direito.

– Pai, eu sei que ninguém tem o direito de tirar a própria vida, mas naquela época as coisas estavam muito confusas na minha cabeça. O medo, a insegurança e a humilhação viviam comigo todos os dias. Tenho até vergonha de contar ao senhor o que me levou a fazer aquela besteira...

– Filho, por favor, me conte tudo.

– Parece que problema puxa problema, pai. Se não bastasse toda a confusão que já rolava na minha cabeça, ainda fui cometer um erro gravíssimo no colégio.

– No colégio, filho?

– No antigo colégio, pai.

Dei um gole no uísque antes de continuar a falar. Minha boca ardeu.

– Naquele dia, pai, cheguei atrasado ao colégio e acabei sentando em qualquer carteira. Estava assistindo à aula – era de matemática –, quando alguém me passou a mão. Era o cara da carteira de trás. O líder da turma, o que não tinha medo de nada e o que enfrentava todo mundo. Com certeza, ele fez isso de brincadeira; e eu, muito burro...

– Fale, filho.

– E eu, muito burro, pai, em vez de reagir, fiquei quieto, fingindo que não era comigo. Eu tinha muito medo dele, pai... Daí para frente, a minha vida se transformou num inferno.

Comecei a chorar.

– Tudo isso é passado, filho. O importante é que agora estamos juntos.

– Ele e sua turma, pai, acabaram comigo. Não me respeitavam. Todos os dias mexiam comigo na frente de todos. Isso acontecia nos corredores, na sala de aula e no pátio. Às vezes com palavras pesadas... passadas de mão...

Minha voz saía com dificuldade e suas mãos apertavam a minha mão direita.

– Também por me recusar a dar dinheiro a eles... apanhei muito, pai... Eram tapas no rosto... empurrões... rasteiras... cadernos rasgados... livros roubados... Tanta coisa, pai... tanta coisa...

Começamos a chorar.

– Filho, eu... eu...

Correndo, ele foi em direção ao banheiro. Fui atrás.

– Pai!

Encostado na parede e com as mãos no rosto, meu pai não parava de chorar.

– Me perdoe, filho... Me perdoe... Onde eu estava... quando tudo isso aconteceu? Me perdoe... me perdoe...

– Pai... o senhor... não teve culpa de nada. Eu é que sou uma droga de filho.

Nunca fomos tão unidos. Abraçados, chorávamos como crianças.

– Pai, é melhor voltarmos para a mesa. Imagine só o que os garçons devem estar pensando da gente. Primeiro choramos à mesa e depois ficamos um tempão no banheiro.

– Eles não vão pensar nada de errado, filho. Venho muito aqui. Todos me conhecem. Agora, se pensarem algo ruim, como dizia seu avô Duílio: "Che mene frega!"

Lavamos o rosto, voltamos para a mesa e pedimos mais dois uísques.

– Pai, se possível, gostaria que o senhor não contasse nada para a mamãe do que nós conversamos aqui. Tenho vergonha, pai.

– Ela é sua mãe. Mas se você prefere assim, tudo bem.

– Valeu, pai.

– Marcus! Eu gostaria de saber o que aconteceu com o seu rosto. Está um pouco inchado, filho.

– Renato e eu brigamos, pai.

– Violência física, filho! Isso não está certo.

– Sei que não, pai. Mas se existe um culpado nessa história, esse culpado sou eu. Não fui nada honesto com Renato.

– Filho, nada justifica uma agressão física!

– Pai, o senhor também me agrediu quando lhe contei da minha opção sexual.

– E me arrependo disso até hoje.

– Renato também já deve estar arrependido do que fez.

Sem detalhar muito, contei a meu pai toda a confusão que eu havia provocado, deixando bem claro que por desejo eu viveria com os dois, porém jamais sem o meu noivo.

Naquela noite demorei muito a dormir e, quando isso aconteceu, várias foram as vezes em que acordei com sobressaltos. Três coisas mexeram demais comigo: a briga com Renato, a conversa com o meu pai e as tristes lembranças do primeiro colégio. Maldito Vagner!

22

A ansiedade era grande demais, e dormi tão mal na noite anterior que acabei chegando atrasado ao colégio. Sem ter como falar com Renato – pretendia fazer isso antes da primeira aula –, fui obrigado a esperar o intervalo. Nem bem o sinal tocou, desci ao pátio para procurá-lo. Perto da lanchonete – ficávamos muito ali –, esperei por quase dez minutos e nada. Ansioso, fui à luta:

– Pedro? Pedro?

– Tudo bem, Marcus?

– Tudo bem, cara, e com você?

– Vou indo.

– Você viu o Renato por aí?

– Vi. Ele está conversando com o Guilherme. Estão sentados na mureta da quadra.

– Valeu, cara!

Por que será que ele não me procurou? Aproximei-me deles:

– Oi!

Os dois me cumprimentaram, mas Renato o fez sem me olhar nos olhos.

– Podemos falar, Renato?

A resposta foi quase imediata:

– Nós não temos o que falar!

– É lógico que temos!

Percebendo que havia algo errado entre a gente, Guilherme se levantou:

– Vou deixá-los à vontade para conversarem.

– Fique aí mesmo. Eu não tenho assunto nenhum a tratar com o Marcus!

Completamente sem graça, Guilherme tentou resolver o impasse:

– Conversem! Afinal de contas vocês são amigos há tanto tempo.

Renato não concordou e já estava indo embora quando o segurei pelo braço.

– Espera, cara! Preciso falar com você!

– Você está surdo, Marcus? Já falei que não temos assunto nenhum a tratar.

– Renato, por favor, não exagere!

– Eu estou exagerando? Você fez o que fez e o filho da puta sou eu?

– Nós temos de conversar, cara!

– Tire as mãos de mim, Marcus!

Guilherme, assustado, apenas nos olhava.

– Renato, o que aconteceu já é passado! Me escute, por favor!

– O filho que a Beatriz carrega na barriga não é passado!

Guilherme entrou na conversa:

– De que filho vocês estão falando?

Gritando, Renato respondeu:

– A Beatriz está grávida do Marcus!

– Não acredito! E você dizia que não a suportava, Marcus!

Todos à nossa volta nos olhavam.

– Renato, vamos conversar em outro lugar, por favor!

– Não!

Fiquei nervoso.

– Dá para gritar menos, Renato?

– Não, não dá!

– Você quer dar o mesmo *show* que sua mãe deu no hospital? É isso?

Me dando um empurrão, ele disse:

– Não fale da minha mãe, Marcus!

– Por quê? Você vai me bater?

– Não me provoque, Marcus!

– Provoco sim! Quem sabe dando umas porradas você fica mais calmo! Ou você não é homem para isso?

Guilherme já o segurava.

– Vá embora, Marcus!

– Não vou, Guilherme! Vem, Renato! Vem! Vem!

Completamente zonzo, acordei no ambulatório.

– Você está melhor, filho?

Aos poucos a visão do rosto da enfermeira foi se clareando.

– Acho que estou, dona Vera.

O cheiro de éter era insuportável.

– Quebrei alguma coisa?

– Não. Você só está com o olho esquerdo roxo. O soco foi forte, filho.

– Pelo menos me abracei a ele.

– O que você disse?

– Se posso me levantar.

– Ainda não. Você acabou de acordar de um desmaio.

– O que a senhora está fazendo?

– Não é nada. Só vou colocar um pouco da gaze com água gelada sobre o seu olho.

– Já posso me levantar?

– Ainda não.

Bateram à porta. Era o Guilherme.

– Posso entrar?

– Pode. E vê se faça o seu amigo ficar um pouco deitado. Eu já volto.

– E aí, Marcus?

– Tudo bem. E o Renato?

– Ele está na diretoria. Acho que vai pegar uma suspensão de três dias, e você também.

Tirei a gaze do olho e sentei na maca.

– Por que você tinha de provocá-lo, Marcus?

– Eu não provoquei nada. Se ele tivesse falado comigo, nada disso teria acontecido.

– Marcus, é óbvio que ele não quer ver você nem pintado de ouro. Primeiro, você transa com a namorada dele; depois, você engravida a garota e, por último, ainda ofende a mãe do cara. Você quer o quê? Que ele converse com você numa boa?

– Não é bem assim, Guilherme.

– É claro que é. E tem mais, o colégio inteiro já sabe que a

Beatriz espera um filho seu. Imagine só com que cara o Renato vai ficar na frente de todos.

– Quando saí com a Beatriz, eles já não eram mais namorados.

– Só que continuavam saindo. E você sabia disso.

– Sabia mais ou menos, Guilherme.

– No fundo, Marcus, você não respeitou o seu melhor amigo.

Dona Vera entrou na sala.

– Pode entrar, Ana.

Sujou.

– Mãe! O que a senhora está fazendo aqui?

– O diretor telefonou para casa.

– Mãe, este é o Guilherme.

– Muito prazer.

Ela estava muito sem graça.

– Olha o estado do seu olho, filho. Você sabe que não deve brigar, ainda mais no colégio. Até parece que seu pai e eu não lhe demos educação.

– Ana, leve estas gazes e não esqueça que as compressas devem ser feitas com água gelada.

– Não vou esquecer, Vera. Muito obrigada por tudo.

– Você não precisa agradecer. Estou aqui para emergências como esta.

– Mesmo assim, obrigada. Vamos indo, filho.

O Fiat estava estacionado bem em frente ao portão principal. Esperei entrarmos no carro – dona Vera nos acompanhou até a saída – para dizer à minha mãe que não precisava ter vindo me buscar, ainda mais porque não fica bem fazer isso com um cara da minha idade. Bastou dizer isso, para que ela, muito nervosa, começasse a falar:

– Nunca mais faça isso, Marcus!

– Mãe, aconteceu.

– É fácil para você dizer "aconteceu", só que quem passou vergonha na frente do diretor fui eu.

Colocando os óculos escuros, me desculpei.

– Essa história de briga tem de parar! Ou você pensa que no domingo não percebi que seu rosto estava inchado? Só não falei nada porque seu pai me pediu e garantiu que tudo estava bem. Hoje, o diretor foi categórico em afirmar que foi você quem provocou tudo.

Fiquei quieto. Não tinha o que falar.

– Marcus, você e a Beatriz fazem um casal tão bonito, filho! A Beatriz, além de bonita, é tão educada, filho.

Tinha certeza de que se eu só gostasse de mulher, ela acharia a Beatriz uma merda.

– Mãe, eu gosto muito da Beatriz, mas amo o Renato.

– Marcus!

– Me desculpe, mãe.

Ficou nervosa.

– Não sei o que tanto você e seu pai conversaram! Não resolveram nada! Aliás, seu pai é outro, fala, fala e fica tudo por isso mesmo!

– Mãe, as coisas não são tão simples quanto a senhora pensa.

– Deixe estar!

– Mãe, o farol!

Batemos o carro.

– Viu o que você fez, Marcus?

– Eu, mãe? A senhora é quem está dirigindo.

– Mas você me deixou nervosa! Se não fosse pela briga no colégio, eu estaria em casa...

– Ô, dona? A senhora não viu o farol fechado?

Nós não descemos do carro.

– Se tivesse visto a tempo, teria brecado!

– A senhora discute com o seu filho e vem descarregar em cima de mim?

– Eu não estou discutindo com o meu filho!

Após termos nos entendido com o motorista de táxi, voltamos para casa em completo silêncio.

Chegando em casa, Beatriz nos esperava à porta. Apesar de o pára-choque dianteiro estar parcialmente destruído, ela, inteligentemente – vendo minha mãe nervosa –, nada comentou. Pouco conversaram. Na verdade, nada além de cumprimentos delicados, já que dona Ana – demonstrando certa impaciência – não via a hora de telefonar para sua amiga Lídia, o que fez da cozinha mesmo. Fiquei na sala conversando com a Beatriz, que, para minha surpresa, não se espantou nem um pouco ao me ver sem os óculos escuros.

– Ficou bem roxo, Marcus.

Me beijou no olho.

– Como você soube, Beatriz?

– A Karina estava lá. Viu toda a briga e em seguida me telefonou.

– Bem gazetinha a sua amiga, hein?

– Ela não é gazetinha. É minha amiga.

– Me desculpe.

Fazendo-me colocar os pés sobre o seu colo, ela tirou meus tênis, minhas meias e começou a massagear meus pés. Aquela massagem, acompanhada de alguns beijos nos dedos, me deixou excitado, mas Beatriz nem percebeu.

– Por que você não toma um banho para relaxar, Marcus?

– É o que vou fazer.

– Vou com você, Marcus.

Interpretando meu olhar, ela disse:

– Sua mãe não vai falar nada. Pode ter certeza.

– Mas, Beatriz...

– Vamos subir, Marcus.

Fui sozinho tomar banho na suíte dos meus pais e, quando voltei para o meu quarto – que já estava à meia-luz –, encontrei-a apenas de calcinha.

– Beatriz! Minha mãe está lá embaixo.

– Relaxe, gatinho. Vou fazer uma massagem em você.

No início fiquei excitado ao sentir suas mãos deslizando pelo meu corpo. Mas aos poucos essa excitação foi se transformando num enorme vazio. Pensamentos bons e ruins trafegavam pela minha cabeça sem rumo. Um desejo de morte se fez presente dentro de mim. Segurei o choro.

– Beatriz, preciso ficar sozinho.

– O que foi? Você não está gostando?

– Não é isso. Me deixe sozinho, por favor.

No escuro do quarto, comecei a chorar.

23

Foi clara a mudança de comportamento de dona Ana desde o dia da briga no colégio. Duas coisas diziam que minha mãe estava preparando alguma coisa. A primeira delas era a forma segura como ela nos olhava. Ao contrário de suas doces palavras, seus olhos sempre diziam: "Deixe estar! Deixe estar!" E isso também valia para meu pai, apesar de ele nunca ter percebido. A segunda tinha tudo que ver com Lídia. Nunca as duas conversaram tanto. Era só eu chegar, para que elas – sem muita habilidade – mudassem de assunto.

Na semana após a suspensão de três dias, estava saindo do colégio, quando vi minha mãe no portão:

– O que foi, mãe? Aconteceu alguma coisa?

– Não aconteceu nada, filho.

– Então o que a senhora está fazendo aqui?

– Tentando resolver um problema.

Sem entender nada, fui com ela até o carro que estava estacionado poucos metros à frente, com Lídia ao volante. As duas estavam muito estranhas e nervosas. Minha mãe olhou várias vezes para os lados antes de entrar no Fiat. Lídia então acelerou de um jeito – até cantou pneus –, que por pouco não batemos na traseira de um caminhão de lixo.

– Preste atenção no que vou te dizer, Marcus.

– Ok, mãe.

– Nós vamos levar você a um lugar que, de início, pode parecer estranho, mas foi muito bem recomendado.

– Que lugar é esse, mãe?

– Antes de dizer o que é, quero de você o compromisso de guardar segredo. Ultimamente, seu pai e eu estamos discutindo muito por sua causa e, em hipótese alguma, ele deve saber do lugar aonde estamos indo.

Prometi segredo. Mas tive a impressão de que a resposta não importava muito. Iríamos de qualquer jeito.

– Na casa aonde vamos será feito um "trabalho" que tem como objetivo livrar você de todas as influências negativas provocadas por espíritos sem-luz.

– Mãe? A senhora está falando de macumba? É isso?

– Eu estou falando de pessoas que podem resolver o seu problema, Marcus! Esse rapaz, a quem chamam de "Zelador", foi muito bem indicado, e já ajudou muita gente com problemas parecidos com o seu.

Lídia entrou na conversa:

– O nome dele é Jorge, Ana.

– Mãe, eu não vou falar com Jorge nenhum!

– Vai, sim! Você me deve isso.

Minha mãe começou a chorar.

– Marcus, sua mãe e eu já conversamos com o Jorge. Você só está assim por causa de um espírito zombeteiro. O objetivo do trabalho é justamente afastá-lo.

– Mas, Lídia...

Ela não me deixou falar e continuou:

– Marcus, o Jorge explicou que isso é uma cobrança de santo, e, no seu caso, é uma santa que está na frente.

– Lídia, eu sei o que sinto. E pode ter certeza de que não é por causa de nenhum espírito que encostou em mim. Aliás, não conheço nenhuma pessoa que era e deixou de ser.

– Nós também não conhecemos ninguém pessoalmente, mas existe.

Minha mãe voltou para a conversa:

– Marcus, uma amiga de uma amiga da Lídia garante que o filho de uma governanta de outra amiga sua foi curado pelo Jorge. Tentamos localizar essa governanta, mas ela está em alguma cidade do Nordeste e ninguém sabe o endereço.

– Mãe, a senhora falou em cura. Eu não estou doente.

Silêncio.

– Marcus, nós estudamos bem o assunto. O Jorge explicou que essa cobrança de santo, ou de corpo, é proveniente de outras encarnações. Esse rapaz é do candomblé, que nada mais é do que a religião dos negros iorubas na Bahia. Lídia e eu vimos no dicionário que ioruba é uma língua de um povo que vive na África Ocidental.

As duas acreditavam mesmo que o Zelador, como num passe de mágica, me transformaria de uma hora para a outra numa pessoa "normal".

– Como é esse trabalho, mãe?

Lídia respondeu:

– Esse trabalho tem o nome de ebó. O ebó serve para livrar o corpo de alguém da influência de um espírito sem-luz. Ele tem como objetivo afastar a cobrança do corpo pelo santo.

– O meu espírito está sem luz?

– Não. O espírito que está sem luz é o do zombeteiro.

– Mas como é esse trabalho, Lídia?

– Isso você verá na hora. Mas não precisa se preocupar.

– Marcus?

– Fala, mãe.

– Primeiro, é importante ter respeito por essa religião e, depois, fazer tudo aquilo que o Zelador pedir para você fazer.

Confesso que me sentia cansado. Por mim, estaria jogado na cama em completa escuridão, sem porra de religião nenhuma.

– Lídia? Dá para você desligar o ar-condicionado? Vou abrir o vidro.

Estava acendendo um cigarro quando minha mãe disse:

– Está vendo só, Lídia? Ele não fumava! Aliás, detestava cheiro de cigarro e agora, por causa do espírito zombeteiro, até fuma.

Demoramos muito a chegar. A casa do Jorge ficava na periferia de São Paulo, num lugar extremamente pobre. Estacionamos o carro numa rua de terra, bem em frente ao número 141. Crianças descalças – algumas de shorts e outras não – cercaram o carro. Descemos do Fiat em meio a um milhão de pedidos e, até alguém abrir o portão, crianças e cachorros nos rodeavam. Entre a rua e a entrada da casa – não havia calçada – tínhamos de pular uma pequena vala. Pulamos os três, mas Lídia, num pequeno deslize, acabou mergulhando o pé esquerdo naquela bosta.

– Lídia! De novo!

– Você quer o que, Ana? Com esses cachorros em cima da gente e essas crianças que não param de pedir coisas!

– Lave o pé quando entrarmos. Em casa passaremos álcool, como da outra vez.

O lugar era muito estranho. Além de velha, a casa fora pintada num azul meio esbranquiçado, o que não tornava o ambiente nada agradável. No quintal, entre inúmeros gatos, galinhas andavam soltas sem maiores problemas. Ficamos os três sentados num banco de madeira esperando sermos chamados. Já me distraía com uma galinha, quando uma moça fez sinal para eu entrar.

– Eu?

– É.

Olhei para minha mãe e perguntei:

– E vocês? Não vão entrar comigo?

– Nós esperaremos aqui. Vá logo, Marcus. Não deixe o Zelador esperando!

– Mas, mãe...

– Vá logo, Marcus.

Fui levado até um salão, e lá fiquei junto da moça, esperando o Zelador chegar. Ela era muito tímida, pois, além de ficar totalmente quieta, quando me olhava, o fazia de rabo de olho. Comecei a puxar conversa:

– Como é o seu nome?

– Zinha.

– Como?

– Zinha.

A moça tinha a língua presa. Meia fanhosa no falar. Segurei o riso.

– Ah, tá... que lugar é esse?

– Roncó.

– Ah, tá.

Algumas coisas me chamavam a atenção naquele lugar. Primeiro, não existia uma imagem de santo sequer. Segundo, vários pratos de barro – contendo uma série de coisas dentro – formavam um círculo no centro do salão e, bem no meio dele, uma pequena esteira. Terceiro, o que mais se parecia com um altar estava cheio de enormes vasos de barro, pedras, pratos, bacias, tridentes e muitas velas nas cores branca, azul e lilás.

– Marcus!

Era o Zelador. Ele devia ter entre 35 e 40 anos, no máximo. E pior, tinha um jeito meio efeminado. Cumprimentamo-nos de uma forma totalmente diferente, quase que cruzando e batendo os pulsos um no outro. Após ter dado ordens para a fanhosa sair, ele começou a falar:

– Sua mãe já deve ter conversado com você. O que vamos fazer aqui é uma oferenda, que tem como resultado afastar a cobrança do corpo.

– Ok. Vamos lá.

– Enquanto me preparo, vá até aquele segundo salão, tire toda a sua roupa, inclusive a cueca, e vista esta roupa de ração.

– Ok.

A roupa de ração nada mais era do que uma calça e uma camisa, bem largas, feitas de saco branco. Daqueles de farinha para fazer pão. Voltando, o Zelador me fez ficar de pé sobre a esteira no centro do círculo, que ele chamou de "Círculo de Oberó".

– O que tem nesses pratinhos, Zelador?

– Várias coisas, entre elas feijão branco, feijão preto, canjica, milho, milho de pipoca, quirera, pano branco, mel, acaçá e velas. No caso das comidas, todas foram torradas.

– O que é acaçá?

– Acaçá é um bolo de milho ralado, quase um mingau, embrulhado em folhas de bananeira. Você pergunta muito!

O que ele queria? Se estava no meio de tudo aquilo, eu precisava saber o que rolava.

– Com os braços erguidos, Marcus, mantenha o prato com o acaçá sobre a cabeça até o final dos trabalhos. E, a partir de agora, fique em completo silêncio que vou começar.

Usando palavras estranhas, o Zelador iniciou o ebó. Acho que devia estar tomado por algum espírito, pois sua expressão facial mudou por completo. Prato a prato, ele retirava pequenas quantidades de comida e, esfregando-as entre as mãos, passava por todo o meu corpo, sempre do pescoço para baixo. Todo esse movimento era acompanhado por canto e palavras na língua africana, pelo próprio Zelador. As velas, então, foram todas quebradas no meu corpo.

Devíamos estar nos aproximando do final, já que faltavam apenas dois pratos: o com mel, no chão, e o acaçá sobre a minha cabeça. Me fazendo ficar fora do círculo por alguns minutos, ele recolheu todos os restos de comida sobre a esteira e os embrulhou no pano branco, inclusive a esteira, para só depois utilizar os dois pratos finais. O acaçá ficou no lugar da esteira, com o mel derramado sobre ele. Novamente sua expressão facial mudou.

– Tire sua roupa, Marcus.

Ele colocou a roupa de saco junto com os restos de comida.

– O que você vai fazer com isso, Zelador?

Demorou a responder. Acho que estava rezando ou coisa assim.

– Jogar em água corrente.

– E o pratinho com acaçá?

– Ficará por sete dias em cima da firmação do roncó.

– Posso me trocar, Zelador?

É ruim ficar nu na frente de um estranho.

– Ainda não. Falta o banho de amaci.

– O que é isso?

– É um banho de ervas, curtidas no quartilhão do santo. Vá para o banheiro e me espere lá.

– Onde é o banheiro?

– No segundo salão, porta da esquerda.

O banheiro fedia. E todo o cheiro vinha de um jarro enorme. Acho que o jarro era o quartilhão do santo. Pelo mau cheiro que exalavam, aquelas ervas deviam estar ali há pelo menos dez anos. Não demorou muito e o Zelador, com uma vasilha na mão, entrou no banheiro. Enchendo-a no jarro, pude ver como aquele líquido era grudento. Parecia limbo.

– Vamos começar, Marcus?

– Você tem certeza de que o banho é necessário?

– Tenho.

Ele colocou a vasilha sobre a minha cabeça.

– No cabelo, Zelador?

– Esse banho tem de ser completo. E tem mais: banho com água, você só poderá tomar amanhã.

O mau cheiro acabou nem sendo o pior. Virando várias vezes a vasilha com ervas sobre a minha cabeça, o Zelador literalmente me deu um banho. Suas mãos percorreram todo o meu corpo, inclusive nas partes em que não poderiam estar.

Já era noite quando chegamos em casa. Tomei uma ducha no mesmo dia.

24

Em menos de um mês, minha vida se transformou por completo. Beatriz fez amizade com meus pais e praticamente não saía de casa. Eu, em compensação, me sentia cada vez mais dividido. A sensação de estar vivendo uma grande farsa era muito grande. Minha mãe apostava no casamento e ficou tão amiga de Beatriz que a acompanhava até nos exames do pré-natal, cujo médico, evidentemente, fora escolhido por ela. Meu pai soube aceitar tudo muito bem, nunca impondo cobranças. Ele nem sequer chegou a associar o nascimento do neto – que mesmo antes de nascer já era tido como rei – a um casamento forçado. Beatriz, então, estava ótima. Nunca mais transamos, mas isso não a incomodava tanto, pois estava sempre entretida com as novidades preparadas pela futura sogra. Até o carro de minha mãe ela dirigia.

No colégio, fui isolado pela velha turma. A única pessoa a me cumprimentar, vez por outra, era o Guilherme, mas também não passava disso. No pátio, várias foram as vezes em que fiquei observando Renato. Ele estava sempre bem, e isso me doía. Sem amigos, comecei a fumar pra valer. O cigarro me ajudava a suportar o fato de sempre estar sozinho.

Foi numa sexta-feira – no intervalo das aulas – que a dor da separação se transformou em agonia dentro do meu peito. O pensamento de nunca mais tê-lo nos braços fez minha alma chorar.

Procurá-lo não adiantaria. Pensei em escrever um bilhete, quando Guilherme passou por mim:

– Guilherme? Guilherme? Preciso de um grande favor seu, cara!

– Se puder... o que é?
– Preciso que você entregue um bilhete para o Renato.
– Marcus! Desista dessa amizade, cara.
– É importante! Por favor!
– Tá legal. Cadê o bilhete?
Fiz Guilherme me acompanhar até a sala de aula.
– Marcus, você ainda vai escrever?
– É rápido, cara. Só vai levar um minuto. Por favor.
Numa folha de caderno, escrevi o mais rápido que pude:

Renato,
Você tem que me perdoar. Eu não sabia o que estava fazendo. É verdade que a Beatriz me atrai de alguma forma, mas foi você quem provocou isso com as suas histórias.
Eu amo você, cara. Paixão mesmo, daquelas que fazem a gente morrer por alguém, eu só sinto por você.
Se você me abandonar, eu morro, cara. Eu morro.

– Rápido, Marcus. Estou com pressa!
– Já estou acabando. Já estou acabando.

Se você quiser, Renato, se você quiser, eu largo tudo por você. Podemos até fugir, cara.
Fale comigo, por favor...
Renato, você pode até não me perdoar, mas pelo menos me escute. Por favor, eu imploro!
Estou esperando você na pracinha perto do colégio, após a última aula.
Você pode não acreditar, mas eu amo você!
Marcus

– Pronto, cara!
Juntos descemos até a secretaria. Só entreguei o bilhete ao Guilherme depois de grampeá-lo:
– Valeu mesmo, cara! Muito obrigado.
– Tudo bem, Marcus. Mas ainda acho que você perdeu o seu tempo.

Ansioso, não consegui voltar para a sala de aula e fui direto para a pracinha. Deitado na grama, com aquele imenso céu azul à minha frente, sonhei acordado. Alguma coisa me dizia que desta vez tudo, tudo daria certo.

O tempo foi passando e, minuto a minuto, o imenso azul do céu foi perdendo o seu brilho. Renato não apareceu. Noite, noite. Sonho por desespero. Esperança por realidade. Já não conseguia pensar direito. Não sabia o que mais podia fazer. Ele não me ouvia. Devia estar com muita raiva de mim. Eu fui muito estúpido e jamais poderia tê-lo traído.

Muito triste, e bem depois do horário normal, voltei para casa. Mais um fim de semana de merda me esperava. O que menos queria ver naquele momento era gente, e foi o que vi ao abrir a porta da sala. Reconheci Leonardo, o irmão de Beatriz.

– Marcus, como você demorou. Já estávamos preocupados.

– Me desculpe, mãe. É que passei na casa de um amigo.

Beatriz veio ao meu encontro. Nos beijamos.

– Tudo bem, Marcus?

– Tudo bem, Beatriz.

– Deixe te apresentar os meus pais. Este é o meu paizão, o senhor Narciso.

– Muito prazer.

– Pode me chamar de Ciso, filho.

Beatriz estava eufórica.

– E esta é a minha mãe, dona Neusa.

Fui abraçado e beijado por ela.

– O Leonardo você já conhece.

– Tudo bem, cara?

– Tudo bem.

Euforia por euforia, minha mãe ganhava.

– Convidei os pais da Beatriz para comerem pizza com a gente. Só estávamos esperando você chegar, filho. Vamos todos para a cozinha?

Pelo jeito, meu pai também foi pego de surpresa por dona Ana. Antes tivesse ficado mais tempo na praça.

– Marcus! Deixe eles irem na frente.

Nos abraçamos.

– Está tudo bem mesmo, gatinho?

– Não, Beatriz. Estou com o saco na lua. De novo não consegui falar com Renato.

– Quer que eu tente uma aproximação entre vocês? Ou nós?

– Não seria uma boa idéia.

Silêncio.

– E o seu carro, Beatriz? Não o vi na porta.

– Está na oficina. Estamos com o Tempra da sua mãe.

Dona Ana nos chamou da cozinha:

– Beatriz? Marcus? Não demorem! A pizza vai esfriar.

O que irrita em minha mãe é esta imagem de felicidade absoluta que ela passa. Até o tom de voz se modifica. Fica mais fresco.

– Marcus, o senhor Narciso é contador como o seu tio Sandro. Não é interessante?

Definitivamente minha mãe não pensa. O que pode haver de interessante nisso?

– É interessante, mãe.

Sinto-me um estúpido sentado à mesa com essa família.

– Eles não formam um casal bonito, Neusa?

– Com certeza, Ana. Até parece que um foi feito para o outro.

Não é possível! Naquele momento entendi o porquê de minha mãe guardar com tanto carinho as fitas de vídeo do seriado dos *Waltons*. Para ser perfeito, só faltava a montanha do estado da Virgínia.

Se não fosse pelo meu pai – ele era o único a manter uma conversa constante com o Narciso que, diga-se de passagem, era um chato, pois só falava em contabilidade –, o que ouviríamos seria o barulho de talheres. Leonardo era mestre em riscar o prato com a faca. E essa porra dava arrepio na espinha!

Olhando bem – ele estava sentado à minha frente –, Leonardo até que era um cara bonito. O que faltava nele era um pouco de arte-final.

– Sabe, Ana, Narciso e eu temos um sonho...

Beatriz não deixou ela terminar de falar:

– Mãe! A senhora prometeu!

– Sei que prometi não falar, mas...

Minha mãe entrou na conversa:

– Beatriz, deixe sua mãe falar. Fale, Neusa! O que é?

Ela só falou depois do olhar de aprovação do Narciso.

– Além de ver Beatriz casando na igreja, evidentemente com tudo a que tem direito, Narciso e eu não pouparemos gastos, nós...

– Mãe, por favor!

Lá vinha merda.

– Nós gostaríamos que a Beatriz e o Marcus se casassem na Igreja da Penha.

Eu? Quem tinha falado em casamento? Essa mulher, além de pobre, era louca! Quem disse que iria me casar com a Beatriz? Isso só podia ser armação da dona Ana.

– Foi na Igreja da Penha, Ana, que Narciso e eu nos casamos. Foi tão bonito.

Que mediocridade!

– Não conheço essa igreja, Neusa. É bonita?

– Simples, mas bonita. Da próxima vez que viermos aqui, trarei o álbum do meu casamento. Narciso pediu ao fotógrafo que também tirasse fotos de toda a igreja por fora. O rapaz fez tão bem o serviço que até fotografou a ladeira da Penha. Como era mesmo o nome dele, Narciso?

– Linhares.

Com esse nome, só mesmo fotografando uma ladeira. Pena que ela e o Narciso não rolaram.

– Traga o álbum, sim. Nós queremos muito ver. Não é Giorgio?

– Claro, Ana.

Narciso se empolgou e entrou na conversa:

– O álbum é muito bonito. Tem fotos grandes e bem tiradas.

– E ainda, Ana, o Narciso mandou encapá-lo com veludo vermelho. Tem uma placa dourada e tudo com os nossos nomes gravados. O Narciso mandou fazer a placa no centro da cidade. Ficou chique, não é, bem? Você vai adorar, Ana!

Minha mãe concordou. Valia tudo para me ver casado. Acho que o álbum foi a maior realização na vida deles.

– Beatriz ainda não sabe, Ana. Mas já andei vendo algumas vitrinas de lojas no bairro da Luz.

– Bairro da Luz?

– É, Ana. Na rua São Caetano. A rua das noivas.

Toda aquela conversa começava a me sufocar por dentro. Tudo estava indo longe demais. Querendo sair dali de qualquer jeito, disse que precisava comprar cigarros. Foi na sala, depois de convencer Beatriz a me deixar ir sozinho, que decidi sair com o carro da minha mãe. Todo mundo usava mesmo.

– Marcus, você não tem carteira de motorista. Seus pais não vão gostar.

– É só você não dizer nada, que vou e volto num segundo.

– Você vai passar na casa do Renato. Não é isso?

– É isso aí, Beatriz. Segure a barra até eu voltar.

– Tudo bem, gatinho. Eu também sinto muito a falta dele. Você sabe que, por mim, estaríamos nós três.

Nos beijamos.

– Valeu, Beatriz.

Já estava entrando no carro, quando ela me chamou:

– Marcus?

– O que é?

Ela se aproximou:

– Desculpe pelas besteiras de minha mãe. Essa história de casamento é coisa da cabeça dela.

– Não esquenta não. Sei que você não prometeria nada aos seus pais sem antes conversarmos.

Sorrimos e nos abraçamos.

– Beatriz, você sabe que eu gosto muito de você, não sabe?

– Sei.

– Sabe também que, por mim, estaríamos nós três.

– Hã, hã.

– Só que fiz tudo errado. Deixei rolar a coisa toda, imaginando que no final tudo daria certo. Não deu. Apostei tanto em mim, que fui capaz de mentir para a pessoa que mais amo no mundo. Por isso, Beatriz, mesmo sabendo que esse assunto a deixa magoada, é importante não esquecer que entre a gente nada está resolvido. Pelo menos por enquanto.

Nos abraçamos.

– Marcus, você está certo. É muito ruim mentir para quem a gente ama.

Beatriz começou a chorar.

– Eu preciso muito lhe contar uma coisa, Marcus.

– O que é?

– O nosso encontro na pousada não foi coincidência do destino.

– Não estou entendendo, Beatriz.

– Promete que você não vai ficar chateado comigo? Tudo o que fizemos foi por amor.

– Fale, Beatriz!

– Hoje, Marcus, posso dizer que tenho dois amores. Renato e você.

– Beatriz, fale logo!

– A minha estada na pousada foi toda arranjada de última hora. Sua mãe e eu preparamos tudo.

– Não acredito! Como minha mãe pôde fazer isso comigo? De você ter participado, eu até entendo. Naquela época, além de não nos conhecermos tão bem como hoje, você ainda brigava pelo seu namorado. Mas minha mãe?

– Ela fez por amor, Marcus.

– Mas, Beatriz, você estava na pousada com algumas amigas. Não estava?

– Elas não eram minhas amigas. Na verdade só as conheci na pousada. Você se lembra do Ronaldo? O recepcionista?

– Lembro. O que tem ele?

– Foi ele quem arranjou tudo. Sua mãe deu um bom dinheiro por fora.

– Como assim, Beatriz? Minha mãe só ficou sabendo o nome da pousada no dia da viagem.

– Engano seu, Marcus. Ela e sua amiga Lídia vasculharam todos os números de hotéis e pousadas da região de Boiçucanga e Barra do Sahy, e telefonaram até que encontraram a sua reserva. Depois, ficou fácil: o tal Ronaldo foi quem conseguiu tudo por lá. As garotas com quem dividi o quarto iam voltar pois já estavam sem dinheiro. Eu fui a salvação para elas poderem passar o réveillon lá. O Ronaldo trabalhou bem.

–Filho da puta!

Beatriz me abraçou mais forte.

– Você sabe se meu pai participou dessa farsa?

– Ele nem imagina, Marcus.

Novamente ela chorou.

– Beatriz, não precisa chorar. Não estou chateado com você. Na época você tinha motivos muito fortes para fazer isso.

– Marcus, o que me preocupa é a sua mãe. Se ela souber que eu contei tudo...

Interrompi suas palavras:

– Ela nunca saberá. Faço isso por você.

Nos beijamos.

– Agora preciso ir, Beatriz.

– Tudo bem, gatinho.

25

Tinha de falar com ele de qualquer jeito. Já não suportava mais ficar daquela maneira. Aquelas luzes me incomodavam. A cidade brilhava muito. Sentia-me na escuridão. Devia acelerar menos ou quem sabe mais. Minhas mãos estavam frias. Estava suando. Deveria ter tomado uma dose de uísque antes de sair de casa. Não me preocuparia com horário. Beatriz seguraria a barra. Mas também, se não desse, tudo bem. Minha mãe merecia ficar um pouco nervosa. Aliás, queria mais é que todos se danassem.

Cinco voltas no quarteirão da sua casa. Ia parar o carro. Não, não podia. Meus olhos ainda estavam vermelhos. Precisava parar de chorar. Não conseguiria viver sem ele.

Oito voltas. Não podia ser esquecido. Não podia. O carro me trazia lembranças. Muita coisa fizemos ali. Muita coisa. Seu cheiro fazia parte da minha vida. Quem disse que sentir saudades não dói? Ainda sentia o seu gosto na minha boca. E que gosto. Seria capaz de passar a noite inteira beijando-o. Sem ele, preferia a morte.

Doze voltas. Me sentia abraçado. Só de pensar nos seus músculos, ficava excitado. Tinha de falar com ele. Na próxima volta pararia o carro. Parei.

Acendi um cigarro e ajeitei o cabelo, como se isso fosse a coisa mais importante do mundo. Toquei a campainha.

– Marcus?

– Oi, Carlos. Tudo bem?

– Tudo bem. E com você?

– Vou indo, cara. Vou indo.

Silêncio.

– Você quer entrar?

– O Renato está?

– Ele saiu, Marcus.

Silêncio.

– Você quer entrar?

– Você sabe aonde o Renato foi?

– Não sei. Mas acho que era algo importante. Ele disse que precisava do carro de qualquer jeito.

– Ele saiu sozinho, Carlos?

– Saiu.

– Por que será que ele precisava tanto do carro?

– O que você disse, Marcus?

– Não disse nada. Vou procurá-lo. Valeu, Carlos.

Procurei por ele em todos os lugares que conhecia e não o encontrei. Inconformado, rodei por toda a cidade. Milhões de pensamentos passavam pela minha cabeça ao mesmo tempo. Desespero ao imaginá-lo com alguém e solidão ao me ver sozinho. Por que fui traí-lo? Por quê? Ele era a razão de tudo. Não podia perdê-lo, cara. Não podia.

Eram duas horas da manhã. Tinha de arrancar esse vazio do meu peito de qualquer jeito. Não podia ficar assim. Ia parar naquele barzinho.

– Quer que olhe a máquina, doutor?

– Por favor.

– Pode ir tranqüilo, chefia. Estou de olho nela!

Não sei quanto tempo fiquei naquele bar, mas sei que bebi vodca demais. Cigarro e bebida são grandes companheiros nessas horas. Decidido a dividir a cama com alguém, num desejo mais animal do que humano, resolvi dar um novo giro pela cidade. Buscando a companhia de um rapaz, fui parar no único lugar que conhecia de nome. Tinha ouvido falar no vestiário do colégio, quando outro time veio disputar o campeonato do ano passado. Era o parque Trianon. Eu sabia que ali não era um lugar seguro, mas mesmo assim dei inúmeras voltas de carro no quarteirão conhecido como "autorama". A exemplo de prostitutas, rapazes ficam na calçada à espera de clientes. Um deles me chamou a atenção por estar vestindo jeans com camiseta branca por dentro da calça. Parei o carro e ele logo se aproximou da janela:

– E aí, cara? Tudo bem?

Nem tive tempo de responder. Ele continuou a falar:

– O meu nome é Roberto, e se você estiver a fim de curtir bons momentos comigo, só vai custar cinqüenta pratas.

Pensei em acelerar o carro e sair dali com tudo. Mas fiquei.

– Qual é o seu nome?

– Marcus.

– Então, Marcus! Vamos? O meu apartamento fica aqui perto.

– Sobe aí, Roberto.

Ele percebeu que eu não estava me sentindo muito bem.

– Você não está passando bem, Marcus?

– Não.

– Você fez o quê? Bebeu, fumou ou o quê?

– Bebi vodca demais, cara.

– Ponha pra fora. É só enfiar o dedo na garganta, Marcus.

Antes mesmo de atravessarmos a avenida Paulista, desci do carro e vomitei. O lance do dedo na garganta funcionou.

– É a primeira vez que você sai com um michê?

– Michê?

– É. Michê. Garoto de programa.

– Dá para perceber?

Ele apenas sorriu.

– Quantos anos você tem, Roberto?

– Dezoito, cara. E você? Não, não fale. Me deixe adivinhar! Dezesseis, no máximo! Acertei?

– Dezessete.

O apartamento do Roberto era muito pequeno e quase não tinha móveis. Na sala, apenas almofadas sobre o tapete. Deitei sobre elas.

– Quer uma cerveja, Marcus?

– Não, obrigado. Ainda não me sinto muito bem.

– Você é um tesãozinho, Marcus.

– Você também.

Eu continuava deitado quando ele se aproximou de mim.

– Cara, abra os olhos. Você está quase dormindo.

– Desculpe, Roberto. É que ainda me sinto zonzo.

Ele estava apenas de cueca quando começou a desabotoar a minha calça.

– A gente não precisa fazer nada. Apenas deite ao meu lado e durma comigo, cara. Sem sexo, Roberto. Sem sexo...

Ignorando minhas palavras, fui despido da cintura para baixo. Fiquei praticamente imóvel enquanto sua boca me excitava. Fisicamente não demorei a gozar. Espiritualmente, chorei.

Adormeci com a certeza de estar abraçado ao Renato.

Sem saber exatamente onde estava, acordei assustado. Aos poucos, *flashes* fizeram-me lembrar da noite anterior. Comecei a relaxar. Deitado sobre almofadas azuis de gosto duvidoso, eu, completamente nu, passei a observar o lugar. Tudo era muito estranho, a começar pelas cortinas pretas. Ao tentar me levantar, percebi o estrago que a vodca havia feito na minha cabeça. Tudo parecia solto lá dentro.

Estava procurando minha cueca quando a porta da sala se abriu.

– Bom dia, Marcus!

– Bom dia.

– Eu sou o Roberto. Você lembra?

– Desculpe. É que ontem eu estava bêbado demais.

– Não esquenta não, cara. Sei muito bem o que é isso, ainda mais bebendo vodca vagabunda.

Indo para a cozinha, ele disse:

– Por que você não toma um banho enquanto preparo o nosso café?

– É o que vou fazer.

O banheiro era tão pequeno que por pouco não colocaram o vaso sanitário debaixo do chuveiro. Mesmo sem nos vermos – ele na cozinha e eu no chuveiro –, conversamos nos meus quase dez minutos de banho.

– Quem é Renato, Marcus?

– Renato?

– Ontem à noite, você me chamou de Renato algumas vezes.

– Me desculpe, Roberto.

– Não precisa se desculpar, cara.

Achei que não devia falar sobre o Renato. Mudei de assunto:

– Roberto?

– Fala, Marcus.

– O que exatamente nós fizemos ontem à noite?

– Infelizmente, só fiz uma chupeta. Você não lembra?

– Mais ou menos.

– Você gozou e apagou, cara. Depois disso tirei a sua camisa para não amassar e, nus, dormimos abraçados. Na verdade, você me encoxou a noite toda.

Ele veio até o banheiro.

– Pena você ter exagerado na bebida, cara. O seu pau é gostoso demais. Além de grande, é grosso. Tem volume!

Roberto disse isso, mexendo no meu pinto.

– Eu gostei muito de você, Roberto, mas não sei se poderíamos fazer além do que fizemos. Não me sinto bem em trair a pessoa que mais amo na vida. De qualquer forma, tenho de agradecer a Deus por você ter cruzado o meu caminho.

– É isso aí, cara. Termine seu banho numa boa.

Quando voltei para a sala, Roberto já me esperava com dois copos de café com leite na mão. Coloquei minha cueca e sentei no chão bem à sua frente.

– Pode comer à vontade, cara.

Sobre uma bandeja de madeira, um pote grande de margarina dividia espaço com pãezinhos franceses.

– Você mora com a sua família, Marcus?

Soltei um palavrão:

– Caralho!

– O que foi?

– Meus pais devem estar preocupados. Ontem à noite saí apenas para comprar cigarros. Tem orelhão aqui perto?

– Você não precisa descer para telefonar.

Atrás de um vaso com plantas se escondia um telefone.

– Está aqui, cara. Pode ligar.

Enquanto discava, Roberto preparava um pão com manteiga para mim.

– Alô? Beatriz?

– Marcus! Você está bem?

– Estou.

– O que aconteceu?

– Não aconteceu nada. Acabei encontrando alguns amigos, saímos para beber e passei a noite na casa de um deles, é isso.

– Por que você não ligou? Seus pais estão desesperados, e eu também estava preocupada.

– Bebi demais e acabei esquecendo. Mas o que você faz tão cedo em casa?

– Cedo? Já passam das duas horas da tarde!

Olhei para o relógio de pulso do Roberto. Ela estava certa.

– Meus pais não estão em casa, Beatriz?

– Não. Estão na rua à sua procura. Eles ligam de hora em hora para saber se você telefonou.

– Deu muita merda, Beatriz?

– Deu, Marcus. O clima esquentou. Seus pais discutiram muito ontem à noite, e, quando saíram hoje cedo, apesar de juntos, não se falavam.

– Você dormiu em casa?

– Dormi no seu quarto, Marcus.

– E quem levou seus pais embora?

– Eu mesma, com o carro do seu pai. Foi quando voltei que os encontrei discutindo.

– Beatriz, espere um minuto.

Tapei o bocal do telefone com a mão:

– Roberto, atrapalho você se ficar aqui no seu apartamento até as seis horas?

– Claro que não.

– É o seguinte, Beatriz. Diga aos meus pais que liguei e vou estar em casa às seis horas. Até lá, eles estarão bem mais calmos.

– Não é melhor voltar agora, Marcus?

– Não, Beatriz. Seria pior.

– Tá ok, Marcus. Farei o possível para tranqüilizá-los.

– Valeu, Beatriz. Agora tenho de desligar. Um beijo.

Devolvi o aparelho para Roberto, que apenas me olhava.

– Tome o seu pão, Marcus.

– Obrigado, cara.

Silêncio.

– Se eu puder ajudar de alguma forma, é so falar, Marcus.

– Não esquenta não. Tudo se resolve.

Tentando demonstrar um certo controle sobre a situação, mudei completamente de assunto.

– Deve ser bom morar sozinho, não é?

– Sem dinheiro não, cara.

– Pensei que você ganhasse bem.

– Ninguém fica rico fazendo o que eu faço. Essa vida de garoto de programa não é legal.

– Então por que você não procura um emprego normal?

Ele riu antes de responder:

– E você acha que eu já não tentei? Ninguém quer saber, cara. As pessoas querem mais é que os outros se danem. Essa história de solidariedade é só na televisão.

– A sua família não tem como ajudar você, Roberto?

– São mais pobres do que eu. Vivem no Paraná.

Silêncio.

– Pior do que vender o corpo é ver seus irmãos menores passarem fome, Marcus.

Ele pensava muito antes de falar.

– Quando decidi vir para São Paulo, foi na tentativa de arrumar um emprego decente. Só que ninguém quer saber de ajudar ninguém. As pessoas só fazem coisas por interesse. No Paraná, então, é pior do que aqui, cara.

Suas palavras eram carregadas com uma boa dose de indignação, mas jamais o colocavam numa situação de derrota. Claramente ele passava a sensação de que ainda não estava vencido.

– Sabe, Marcus, sou homossexual sim, mas só fiz do sexo um meio de vida porque não tive outra alternativa. A única coisa que tenho para oferecer é aquilo que Deus me deu: o corpo.

Enquanto conversávamos – ainda sentados no chão frente a frente –, sua mão, alheia a qualquer assunto, tocava suavemente nos dedos do meu pé, criando uma aproximação sutil e gostosa entre a gente.

– Estar aqui com você é muito bom, Marcus. Nem vejo você como cliente. Mas você acha que todos são assim? Muitas vezes, quando a noite termina, fico com nojo de mim mesmo. Tenho vontade de tomar banho com álcool, cara. Muitos vêm, se lambuzam, me machucam e tudo bem. Tem aqueles também que prometem tudo. Dizem que vão ajudar, dão o número do telefone e, quando você liga, descobre que o cara deu o número errado. Agora, se eu não fosse garoto de programa, hoje, seria um mendigo. Marcus, você não sabe como é fácil virar mendigo na vida, cara.

– Que tipo de pessoas procuram você, Roberto?

– Tem de tudo. Casados, solteiros, velhos, moços como você e casais. A maioria deles me quer como ativo.

– Ativo?

– Querem que eu seja o homem da relação. Agem como mulher.

Ele sorriu.

– O que foi, Roberto?

– Essas mesmas pessoas, que curtem rapazes como eu, no dia seguinte nos atiram pedra e vão à igreja.

Sorrimos.

– Você me ajuda a levar as coisas para a cozinha?

– Vamos lá.

A quantidade de pratos, copos e talheres sujos sobre a pia era tanta que continuamos a nossa conversa na cozinha. Eu lavando e ele enxugando e guardando.

– Vida de michê é foda, Marcus. Todo mundo tenta tirar proveito de alguma coisa.

– Como assim?

– Esse apartamento, por exemplo. Nós alugamos...

– Nós?

– Ah! Não falei. Eu divido esse apartamento com outro michê, o Ricardo. Ele está viajando com um cliente agora. Mas como eu ia falando, nós alugamos de uma senhora que tem vários apartamentos neste prédio. Ela só aluga para pessoas de vida incerta como eu. Além de caro, pagamos o aluguel semanalmente e, mesmo assim, não temos segurança nenhuma, pois quando ela cisma com alguém, simplesmente manda jogar a pessoa para fora do prédio.

– E não tem como reclamar?

– Com quem? Não temos nenhum papel assinado.

Meus problemas iam ficando menos importantes a cada coisa que ele me contava.

– Outra merda é o Sargento!

– Sargento?

– Sargento é o apelido de um policial. Não conheço ninguém mais filho da puta do que ele. Vez ou outra, esse cara, junto com outros policiais, dá "batidas" nos lugares onde fazemos ponto. Eles estão sempre à paisana, inclusive o carro.

– Mas o que eles fazem?

– Querem grana. Por isso é que, quando estamos na rua, guardamos o dinheiro dos programas dentro da meia, na sola do pé.

– Que absurdo, cara!

– Isso ainda não é nada. Tem vezes que, sem motivo algum, o Sargento simplesmente sai na porrada. O Ricardo já teve até o nariz quebrado por ele. No meu caso, além de dar porradas, ele também sumiu com os meus documentos.

Agora entendo o motivo de o Roberto achar que solidariedade não existe. Sem ajuda, o que pode uma pessoa como ele esperar da vida?

– Desculpe, Marcus. Estou enchendo seu saco com as minhas histórias. É que na verdade é tão raro ter alguém para conversar, que quando isso acontece eu não paro de falar.

– Esqueça isso, cara. Você não tem de se desculpar por nada.

Com a certeza de ter arrumado um emprego a ele, e dando-lhe o meu verdadeiro número de telefone, deixei no pequeno apartamento de cortinas pretas um pouco de luz. Saí de lá com a sensação de ter feito uma grande amizade.

26

Pensei muito no caminho de volta e concluí que, se necessário, faria tudo de novo. Afinal de contas, não era obrigado a fazer sala para os pais da Beatriz, ainda mais sabendo que tudo isso tinha sido preparado pela minha mãe. Na verdade, paciência era algo que eu estava perdendo, dia a dia. Disposto a encarar tudo de frente, abri a porta da sala com muita firmeza. Meus pais, sentados cada um num extremo do sofá, assistiam à TV à meia-luz. Bastou o ranger da porta se abrindo para que eles, olhando para trás, me cumprimentassem. Pelo tradicional "Tudo bem, filho?" percebi que as coisas não estavam tão ruins para o meu lado. Sentado no sofá pequeno, esperei por um sermão que praticamente não aconteceu. Meu pai foi o único a falar, enquanto minha mãe demonstrava certa impaciência. Com certeza, eles continuavam brigados.

– E aí, filho? Algum problema?

– Não, pai. Comigo está tudo bem. Com o carro da mamãe também.

Disse isso colocando as chaves e o documento do Fiat sobre a mesinha de centro.

– Marcus, espero que você tenha consciência do erro que cometeu. Nós ficamos muito preocupados com a sua atitude e gostaríamos que isso não se repetisse mais. Fui claro?

– Foi, pai. Me desculpem. Em momento algum quis deixá-los preocupados. Eu é que não estava muito legal.

– Pois bem, filho. Sua mãe e eu estamos indo para Jundiaí para a casa de seus avós e só voltaremos amanhã à tarde.

–Vou com vocês, pai.

– Não, não vai. A Beatriz precisa muito falar com você. Ela ficou de passar aqui lá pelas nove horas.

Confesso que fiquei sem entender nada. Além de não levar um sermão como se deve – normalmente meu pai é muito mais exigente do que isso –, minha mãe estava com cara de poucos amigos. Após acompanhá-los até a porta – eles não se falaram em momento algum –, subi para um banho.

Depois, na cozinha, procurava algo para comer quando a campainha tocou. Ao atender a porta, levei um susto:

– Renato!

Lentamente ele foi entrando, e com a mão no meu peito foi me empurrando para trás.

– O que foi que eu fiz, cara? Você está chateado pelo bilhete que mandei pelo Guilherme? É isso?

Sem nada dizer, ele continuava me empurrando.

– Fale, cara! É isso?

– Cale a boca, Marcus!

– Não calo.

Fui prensado contra a parede. Para piorar, ainda segurava um vidro de maionese na mão direita.

– Você é foda, hein, Marcus? Além de aprontar, ainda quer me enfrentar! Olha o seu tamanho perto do meu, cara.

Ele disse isso quase com a boca colada na minha. Meu coração foi a mil.

– Perdeu a noção do perigo, alemãozinho?

Ao ouvir ele me chamar de "alemãozinho", meus olhos ficaram completamente molhados. Foi difícil não chorar.

– Sei que não devia, mas amo muito você, Marcus.

Fui beijado suavemente no pescoço.

– Eu amo tanto você, alemãozinho, que até aceito uma relação a três. Se vai dar certo, eu não sei. Mas acho que devemos tentar. Só não quero mentiras, Marcus.

– Nunca mais, cara. Nunca mais.

– Beatriz também gostou de saber que agora somos três, Marcus. Aliás, se não fosse por ela e pelo seu pai, não estaríamos aqui sozinhos.

– Meu pai?

– Depois eu conto o que rolou. Agora, dá pra largar esse vidro de maionese? Eu quero um abraço.

Sem olhar, joguei o vidro sobre o sofá.

– Que saudades, cara.

Daquele momento em diante, o tempo deixou de existir. Beijos e abraços se repetiam sem qualquer controle. Não demorou muito para que ele me deixasse completamente nu. Vestindo uma calça jeans, meias brancas e já sem camiseta, Renato beijou todo o meu corpo. Explosões de sentimentos se sucediam a cada segundo. Um misto de saudades, paixão incontrolável, sangue quente, cheiro, músculos, veias, pele e muito suor fez que rapidamente chegássemos ao final. Impossível segurar o gozo. Felicidade pura foi o que senti nos momentos seguintes. Com a sensação de ter atravessado a nado e contra a corrente um rio bravo, comecei a chorar.

– Não vale chorar, Marcus.

– Me desculpe, cara. É que é tão bom estar aqui com você.

Como um cão, e com toda a calma possível, meus lábios deslizaram por todos aqueles músculos. Saliva, pêlos e muito suor criaram um sabor todo especial e único. Deixando-lhe apenas de meias brancas, pude finalmente senti-lo por inteiro. Perfeito até nas imperfeições, meu noivo possuía uma luz interior tão intensa que, quando nos amávamos, nossos espíritos se fundiam numa só alma. Deitados lado a lado, permaneci um bom tempo com a cabeça sobre o seu peito. Carinhos nos cabelos me fizeram sonhar acordado. Pela primeira vez, um longo silêncio ficou a nosso favor.

– Renato?

– Fale, Marcus.

– Tive medo de perdê-lo para sempre. Acho que morreria.

– Eu também. Só que esse medo ficou no passado. Não vamos mais falar sobre isso. Tudo bem?

– Tudo bem, cara.

Silêncio.

– Renato?

– O que é?

– Você está mais gostoso ainda, cara.

– Impressão sua. É que fazia tempo que a gente não transava. Falando em tempo, quer dizer que agora você fuma...

– Depois que nos separamos, o cigarro acabou sendo uma companhia. Foi muito ruim ficar sem você, Renato.

– Que tal um cigarro, alemãozinho? Você pega?

Foi bom demais. Com apenas um cigarro aceso, revezamos nas tragadas.

– Renato?

– Fala.

– Você disse que o meu pai e a Beatriz foram responsáveis por estarmos aqui sozinhos. É isso?

– É isso mesmo, Marcus. A confusão toda começou na sexta-feira. Primeiro o Guilherme esqueceu de me entregar o seu bilhete. Só fui recebê-lo à noite, quando já estava em casa.

– Foi o bilhete que fez você voltar?

– Ajudou. Na verdade eu já estava pensando nisso. Saudade é um horror, cara.

Beijamo-nos, e ele continuou a falar:

– Como já era tarde, peguei o carro do Carlos emprestado e fui até a sua casa. Só sua mãe estava lá. Ela me disse que você tinha ido para Jundiaí na casa de seus avós.

– Você está brincando!

Levantei-me e fui sentar ao seu lado.

– Não estou, cara.

Ele também se levantou.

– Aí não pensei duas vezes, Marcus. Fui até Jundiaí.

– Que loucura, cara. Por que será que a minha mãe mentiu?

– Ela quer que você fique com a Beatriz, e não comigo.

Acendi um cigarro e continuei ouvindo:

– Quando voltei para São Paulo, não sabia exatamente o que fazer e, após rodar muito com o carro, decidi passar novamente na sua casa. Você já havia saído e a Beatriz, com o carro de seu pai, tinha ido levar os pais dela e o irmão para casa.

Renato acendeu um cigarro antes de continuar:

– Seus pais discutiam muito quando cheguei. O senhor Giorgio havia descoberto tudo por causa de um telefonema do seu avô.

– Que absurdo, cara!

– O clima entre eles esquentou legal, Marcus. Imagine como foi ruim para mim estar no meio de toda a discussão. Seu pai disse para a sua mãe que a mentira dela e o jantar arranjado com a família da Beatriz haviam provocado em você uma atitude que não era sua. Eles pensaram que você havia fugido de casa.

– Isso é muito louco, cara.

– A coisa pegou fogo mesmo, Marcus, quando sua mãe disse achar muito estranho um pai incentivar a homossexualidade do filho.

Completamente chocado, eu apenas ouvia:

– Nessa hora, tive a impressão de que algum sentimento havia morrido dentro do seu pai.

Silêncio.

– Não sei exatamente como tudo rolou, mas após saber que você não havia fugido de casa, que nada de ruim tinha acontecido e que, provavelmente, eu e você precisaríamos conversar, seu pai decidiu que isso deveria acontecer num lugar decente. E não na rua. Pelo que entendi, sua mãe engoliu a seco as decisões dele.

Silêncio.

– A vida não presta, Renato. Não podia ser tudo diferente? Não acredito que Deus seja contra a união de pessoas como a gente. O próprio ser humano constrói o seu inferno.

– Sem tristeza, Marcus. Que tal passarmos uma borracha em cima de tudo? Vamos deixar os problemas para depois. Hoje a noite é nossa, cara, só nossa.

– Você tem razão. É melhor esquecermos.

Beijamo-nos.

– O que você acha de relaxarmos na banheira de hidromassagem de seus pais, Marcus?

– Agora?

– Não, amanhã, quando eles estiverem em casa.

– Não precisava ser grosso, cara. Eu só estava brincando.

Rimos.

– Vamos ver quem chega primeiro ao banheiro, Marcus?

Mais apaixonados ainda, brincamos de tudo naquele fim de semana, e aprontamos muito mais do que sempre havíamos feito.

27

Melhor do que estar vivo é poder viver mergulhado numa paixão todos os dias. Não existe céu azul, mar, brisa ou montanhas que superem – em nenhum segundo sequer – o momento mais simples de um sonho realizado. Assim estava sendo a minha vida. Foi com total apoio do meu pai que uma grande conquista aconteceu. Renato, Beatriz e eu tivemos à nossa disposição um dos melhores apartamentos dele. Uma cobertura em Higienópolis seria o ponto de partida para um sólido e fantástico amor a três. A princípio, alguns problemas tiveram de ser resolvidos. Como contar aos pais da Beatriz – sem chocá-los – que a filha deles, grávida, moraria com dois rapazes? Pensamos em muita coisa, mas acabamos decidindo pela verdade. Todo um esquema foi preparado. Meu pai, com o objetivo de dar seriedade e compromisso, quis conduzir tudo e, para isso, marcou um jantar com o senhor Narciso e a dona Neusa. Engordando as fileiras de convencimento, os pais do Renato também foram convidados. Nesse jantar, com certeza, duas pessoas se sentiram contrariadas: minha mãe e a mãe do Renato. Mas, segundo meu pai, nada fizeram para atrapalhar. Duas semanas foram necessárias para que os pais de Beatriz entendessem que não havia outro jeito. Querendo ou não, o senhor Narciso e a dona Neusa tiveram de esquecer o vestido de noiva, a Igreja da Penha, o álbum de fotos e outras besteiras mais.

Para as pessoas do prédio, Renato seria apresentado como o irmão mais velho de Beatriz. Já parentes e amigos das famílias – isso também incluía meus avós – não poderiam saber da verdadeira situação. O único cuidado que teríamos de tomar era o de não sermos visitados ao mesmo tempo por parentes de famílias diferentes. Para os meus, eu seria o pai da criança e estaria vivendo com Beatriz. Para os parentes de Renato, ele seria o pai; e eu, apenas uma visita.

Propositadamente, só fui mostrar o apartamento para Renato e Beatriz algumas semanas antes de nos mudarmos. Querendo que a passagem de sonho para realidade fosse a mais especial possível, decidi que, ao conhecerem o nosso "superesconderijo", também passaríamos a noite lá. Para isso – sempre com a ajuda de meu pai –, comprei algumas coisas básicas, que iam desde toalhas de banho, sabonetes e frutas, até sofá e geladeira.

Logo na entrada, eles ficaram impressionados com a sofisticação do prédio.

– Seu Marcus!

– Tudo bem, João?

Ansioso, nem esperei pela resposta do porteiro e já fui falando:

– Beatriz, minha noiva; e Renato, seu irmão.

– Muito prazer. João, ao seu dispor.

Achava um barato apresentar Renato como irmão da Beatriz. Era excitante.

– Aqui estão as chaves, seu Marcus. Ontem, a pedido de seu pai, fiz a vistoria no apartamento. O serviço de pintura ficou ótimo.

– Valeu, João, obrigado.

Estávamos entrando no elevador, quando ele me chamou:

– Seu Marcus? Seu Marcus?

– O que é, João?

– Aqui estão as notas fiscais. Todas as mercadorias foram entregues hoje à tarde.

– Obrigado, João.

– Quer que eu suba com vocês para ajudar a desempacotar algumas mercadorias? Peço ao Mário para ficar na portaria.

– Não, João, obrigado.

Foi impossível evitar uma brincadeira no elevador.

– Último andar com destino ao paraíso.

Rimos.

– Marcus, o que você comprou?

– Antes de vocês me detonarem, Beatriz, quero dizer que só comprei algumas coisas básicas para o nosso apartamento. Falta muita coisa, e aí nós escolheremos juntos.

Chegando ao *hall*, fiz suspense antes de abrir a porta:

– Eu gostaria de pedir uma coisa a vocês. Posso?

Os dois concordaram.

– Fechem os olhos e só abram na sala. Ok?

– Ok.

– Ok.

– Espero que vocês gostem do apartamento. Pronto, podem abrir.

Renato foi o primeiro a falar:

– Cara, isso aqui é demais! Olha só o tamanho dessa sala!

A expressão no rosto de Beatriz dizia não acreditar que tudo aquilo era nosso.

– Gostaram?

Primeiro mostrei a eles todo o andar de baixo, menos o nosso quarto, que fiz questão de deixar por último. Para ser completo, a única coisa que faltava na enorme varanda do andar de cima era uma piscina, mas nada que não pudesse ser arranjado com o tempo.

– Agora, quero que vocês conheçam um dos lugares mais importantes do apartamento. O nosso quarto.

Além de dois criados-mudos, o que havia de especial era a cama. Feita sob encomenda a um dos melhores marceneiros de São Paulo, abrigava até quatro pessoas confortavelmente. Beatriz não se conteve:

– Marcus! Que linda!

Nós três nos abraçamos e, sorrindo, Renato disse:

– Marcus, cabem mais de três pessoas ali.

Eu tinha certeza de que ele faria essa observação. Minha resposta foi imediata:

– E o bebê, quando chegar? Não conta?

Rimos.

– Me desculpe, Marcus.

Dois champanhes num balde de gelo e três taças de cristal italiano nos esperavam sobre o criado-mudo da direita. Renato, antecipando-se a mim, propôs o brinde:

– Ao nosso futuro! Felicidade, amor, dinheiro e muito, muito sexo para nós quatro!

– Quatro?

– O bebê, Marcus!

Como crianças, deixamos o quarto na maior bagunça. Camisetas, cuecas, meias brancas, calcinha, e sei lá mais o que, espalhavam-se em completa desordem. Nus e ao som de músicas antigas, brincamos com os nossos corpos sem qualquer limite. Em pouco tempo, batizamos a cama. Renato jorrou no meu peito e eu — quase ao mesmo tempo que ele — esporrei nas coxas de Beatriz, que já havia gozado quando nos revezamos em senti-la pela frente.

– Se o que fazemos for pecado, espero que Deus nos perdoe.

– O que está preocupando você, Marcus?

– Nada, Renato. Só estou pensando alto. Às vezes fico com esses pensamentos estranhos.

– Tanto amor não pode ser pecado, Marcus. Você não acha, Beatriz?

– Ela dormiu, Renato.

– Que tal fazermos o mesmo?

– Se você me abraçar, tudo bem.

Me sentia tão protegido quando ele me abraçava.

– Marcus? Você já está dormindo?

– Não.

– Amanhã não posso perder a hora. Tenho de me levantar antes das seis da manhã.

– Aonde você vai? Pensei que passaríamos o dia juntos.

– Preciso devolver o carro para o Carlos antes das sete horas e...

– Vou com você e depois a gente volta para o apartamento.

– Não dá, Marcus. Amanhã é a primeira consulta de minha mãe com um psicólogo e eu fiquei de acompanhá-la. Além do mais, é importante que eu passe o dia com ela.

– A que horas é a consulta?

– Acho que às duas da tarde.

Fui beijado na nuca.

– Vocês vão passar o dia todo aqui, Marcus?

– Temos de passar. Amanhã devem entregar a máquina de lavar roupas e a secadora.

– O que mais você comprou?

– Só isso. O restante das coisas escolheremos juntos. E, se Deus quiser, mudaremos para cá em menos de duas semanas. O marceneiro deve entregar todos os armários ainda nesta semana.

– Marcus? Por acaso, você não comprou um rádio-relógio. Comprou?

– Claro que não. A única coisa que controla horas aqui é o relógio da cozinha. E só comprei porque a vendedora me empurrou a venda. Mas ele é bonito, não é?

– Mais ou menos.

Rimos.

– Sem enrolar, Renato. A que horas você vai estar aqui amanhã?

– Nós vamos passar a noite aqui, Marcus?

– Vamos.

– No máximo oito horas da noite, cara.

– Fechado. Vou pedir pizza e esperaremos você para comer. Ok?

– Como você vai pedir pizza sem telefone?

– Peço ao João para comprar.

– Falando em João, Marcus, será que ele não achou estranho o tamanho da cama?

– Deve ter achado, mas não é louco de falar alguma coisa.

Mais um beijo na nuca.

– Você não me respondeu, Renato. Podemos esperar você com a pizza?

– Se for portuguesa, podem.

Silêncio.

– Marcus?

– Fala?

– Eu amo demais você, cara.

– Então me abraça mais forte.

Na manhã seguinte, acordei às nove horas com a Beatriz me trazendo o café na cama.

– Bom dia, gatinho.

Espreguicei-me antes de responder:

– Bom dia.

Antes que eu pudesse perguntar se ela havia visto o Renato sair, Beatriz me entregou um bilhete dele.

Marcus e Beatriz,
Estarei aqui lá pelas oito horas da noite.
Não se esqueçam de duas coisas importantes:
1. Não façam muito sexo sem mim;
2. Quero pizza portuguesa.

Um beijo
Renato

– Você o viu sair, Beatriz?

– Não. Acho que ele acordou bem cedo. Me levantei às sete horas e ele já não estava. E você, dormiu bem?

– Muito bem. Vem me dar um abraço.

– Tome seu café primeiro, porque senão vai esfriar. Não esqueça que não temos fogão para esquentar.

– Dane-se o café. Depois eu tomo frio mesmo.

– Além do café pronto, comprei também creme dental na padaria. Eles só não tinham escovas de dentes. Teremos de escovar com o dedo.

– Aliás, falou em dedo é com você mesma.

– Marcus!

– Venha me dar um abraço, Beatriz.

O dia só não foi melhor porque o Renato não estava. Ao som de Enya, demos ordem no apartamento. Até um *rack* de última hora eu fui comprar. Nós queríamos que pelo menos a sala tivesse uma aparência de "sala" quando ele chegasse.

Oito e meia e nada de o Renato aparecer. Mesmo com fome, Beatriz e eu – exceto por umas dez azeitonas roubadas – não tocamos na pizza. Deitados no chão da sala, com a TV ligada, adormecemos.

28

Acordei com a campainha tocando. Desliguei a TV e fui atender a porta resmungando. Como vou aquecer a pizza sem fogão e sem microondas? O Renato é foda!

– Como você demorou, cara. Pai?

Seus olhos estavam vermelhos.

– Aconteceu alguma coisa com a mamãe?

Ele me abraçou.

– Pai, o que foi?

Beatriz acordou.

– O que aconteceu, Marcus?

– Não sei, meu pai não fala.

Beatriz lhe deu um pouco de água.

– Aconteceu uma tragédia, Marcus.

– Com a mamãe?

Com o movimento da cabeça ele disse que não. Apavorado, corri até a cozinha para ver que horas eram. De lá mesmo gritei para Beatriz:

– Uma hora da manhã, Beatriz! Uma hora da manhã!

Voltei em pânico para a sala.

– Pai, com o Renato não. Pelo amor de Deus!

– Perdão, meu filho, por trazer esta notícia.

– Pai, o que aconteceu?

– Renato nos deixou, filho.

– Isso não é verdade, pai. Estamos esperando que ele chegue. Vamos comer pizza, pai. Pai, o senhor não acredita? Olhe pai... Beatriz, pare de chorar...

Ele me abraçou.

– Sinto muito, filho.

Tive o peito estourado. Sonhos foram arrancados num só golpe. Como esperança, meu coração dizia que tudo aquilo era mentira. Anestesiado pela imensa dor, não consegui mais falar. Desobedientes, lágrimas insistiram em não aceitar a voz do coração. Rosto em lágrimas. Alma dilacerada. Comecei a chorar em silêncio. Senti o inferno dentro de mim.

Beatriz ficou com minha mãe. As duas disseram não estarem preparadas para isso. Meu pai e eu seguimos para o prédio da morte.

– Pai? Como... isso aconteceu?

– Ele capotou com o carro na marginal Pinheiros.

Silêncio.

– A que horas foi isso, pai?

– Pouco antes das seis horas da manhã, filho.

Completamente atordoado e ainda não querendo acreditar no que estava acontecendo, desci do carro e, abraçado ao meu pai, caminhamos até a entrada principal. Paramos na porta.

– Coragem, filho.

Aquele lugar tinha um cheiro horrível de vela. Várias salas no saguão e muita gente na frente das portas me confundiam. Assustado, tentava perceber cada movimento, até que meus olhos estacionaram diante de um quadro-negro. Ver o nome do Renato escrito em letras brancas me fez encostar na parede. Minhas pernas tremiam.

– Coragem, filho.

– Isso não pode ser verdade, pai.

– Força, filho.

– Salão "H", pai. Vamos?

– Você não quer se sentar um pouco antes de irmos?

– Não, pai. Não.

Aos poucos a porta do salão "H" foi nos mostrando um clarão de velas. Esse cheiro me derrubou. Mulheres rezavam. Ainda estávamos na porta. Não conseguia ver o caixão. Apenas uma alça dourada. Muitas coroas de flores. Castiçais prateados. Castiçais prateados.

– Não façam isso! Ele vai sufocar! Tirem as rosas. Tirem as rosas.

"Pai nosso que estais no céu..."

– Calma, filho.

"Santificado seja o vosso nome..."

– Pai, diga a eles. Essas rosas cheiram forte. Diga a eles, pai.

"Venha a nós o vosso reino e seja feita a vossa vontade..."

– Isso, filho. Chore.

"Assim na terra como no céu..."

– Pai, não consigo ficar em pé.

– Eu estou segurando você.

"O pão nosso de cada dia nos dai hoje..."

– Que lugar é esse, pai? Devo estar sonhando.

"Perdoai as nossas ofensas, assim como perdoamos a quem nos tenha ofendido..."

– Pai, peça para essas mulheres pararem de rezar.

"Não nos deixeis cair em tentação..."

– Seu Júlio?

Seu Júlio se abraçou a nós.

– Tire o Renato dali, seu Júlio. Aquilo é um caixão. Ele não está morto. Nós vamos comer pizza.

"E livrai-nos do mal, amém."

– Preciso chegar perto. Me ajudem! Minhas pernas não querem andar. Me ajudem!

"Ave Maria cheia de graça..."

– Pai, pai, é o Renato que está no caixão! O senhor viu? Não é ele, pai. Todos vocês estão me enganando. Deus! Deus!

"O Senhor é convosco..."

– Pai, quero ser enterrado junto com ele.

Me senti perdido. Não sabia o que estava acontecendo. Aquele véu. Aquelas rosas vermelhas. Não conseguia olhar para o seu rosto. Toquei suas mãos. Elas estavam frias... Meu coração ia explodir... Não agüentava aquilo... O que fizera a você? Deus não foi justo!

– Carlos, você viu o que fizeram? Você viu...

– Chore, filho. Chore.

"Santa Maria, mãe de Deus, rogai por nós pecadores..."

– Logo estarei com você, cara.

"Agora e na hora da nossa morte, amém."

– Renato, levante daí. É o seu alemãozinho que está aqui. Eu amo você, cara. Eu amo você.

"Pai nosso que estais no céu..."

– O nosso apartamento está quase pronto.

"Santificado seja o vosso nome..."

Desmaiei. Jogado na cadeira meu coração queimava mais rápido do que aquelas malditas velas. Me deram alguma coisa para beber. Não sabia o que era, mas queria que fosse veneno. Novamente tudo começou a girar. Me senti leve. Muitos rostos me observavam. Não conseguia ver ninguém. Vultos passavam por mim e alguns flutuavam. O tempo passava muito rápido. Também flutuei. Me vi na cadeira. Meu pai estava ao meu lado e chorava como eu. Queria que parassem de esfregar álcool nos meus pulsos. Um dia antes Renato estava vivo, e então estávamos mortos.

– Pai? Pai?

"Venha a nós o vosso reino..."

– Estou aqui, filho.

"Seja feita a vossa vontade..."

– Não quero mais viver, pai.

"Assim na terra como no céu..."

– Pai, será que ele sofreu?

"O pão nosso de cada dia nos dai hoje..."

– Não, filho. Foi tudo muito rápido.

Entre o sonho e a realidade, passei toda a madrugada sentado naquela cadeira. Pessoas entravam e saíam a todo momento. Muitos o olhavam por simples curiosidade. Não me agradava vê-lo exposto daquele jeito. Era o meu noivo que estava ali, e não um corpo. Gotas de sangue pingavam lentamente por debaixo do caixão.

"– Olhando esse mar todo, sabe do que eu tenho vontade?

– De nadar, Renato.

– Como você é inteligente, Marcus! A sua sensibilidade é demais, cara. A vontade que eu tenho é de ficar aqui com você para sempre.

– Eu topo, Renato!

– Como 'eu topo', Marcus? Acho que você já tomou caipirinha demais.

– É sério, Renato! Por você eu largo tudo. Estar aqui com você me faz sentir uma pessoa um milhão de vezes melhor. Se não fosse a nossa coragem de enfrentar todas as si-

tuações, nossos sentimentos ainda estariam sufocados pela mediocridade das pessoas. Hoje, Renato, eu me sinto vivo!
– Vamos ver quem chega primeiro na água?
– Mas nós nem estamos de calção, Marcus.
– E daí? Estamos de short.
– O que desceu em você? O Espírito Santo?
– Quase isso! Eu estou me sentindo muito bem!
– Tentar me derrubar na água deixa você feliz, Marcus?
– Você nunca vai saber como é bom estar com você, cara..."

– Pai?
– Calma, filho. Você estava sonhando.
Ninguém mais estava rezando.
– Pai, a mamãe e a Beatriz não vieram?
– Não, Marcus. Acho que elas não suportariam ver o Renato desse jeito.
– O senhor acredita nisso, pai?
Ele apenas me olhou.
– Pai, nunca mais quero ver a Beatriz. Nunca mais.
Carlos se aproximou de nós. Ajoelhado à minha frente, ele disse:
– Marcus, está quase na hora, eu...
Abraçados choramos.
– Preciso me despedir dele, Carlos.
Choramos.
– Calma, Marcus. Você vai se despedir... Meu pai está pedindo às pessoas que deixem o salão por alguns minutos... Acho importante você ter um pouco de privacidade com ele. Renato gostaria disso.
– Não fale dele como sendo alguém do passado, Carlos.
Aos poucos o salão foi se esvaziando. De portas fechadas, ficamos meu pai, seu Júlio, Carlos e eu. Sozinho me aproximei do caixão e pela última vez pude tocá-lo.
– Não sei por que Deus fez isso com a gente, cara... Essa vida não presta, Renato. Agora que tudo estava dando certo... Sabe, Renato, sei que fiz um monte de besteiras, mas nunca deixei de amar você. O meu amor por você é eterno, e não vai ser essa droga de morte que vai nos separar... Eu amo você, cara. Eu amo você... Daqui a pouco

vão levar você para longe de mim, mas o que eles não sabem é que o seu coração vai ficar guardado para sempre dentro do meu peito. Nunca mais terei ninguém, cara.

Abismo, escuridão, solidão. Seu peito vertia sangue. Beijei suas mãos, seus lábios, seu rosto... Tentei resgatar a vida. Não consegui.

– Renato, até que a gente possa se encontrar de novo... vamos escolher a Lua como um elo entre nós... Todas as vezes que eu precisar falar muito sério com você, cara, estarei olhando para ela...

Beijava seus lábios quando eles se aproximaram. Abraçamo-nos sobre o caixão.

– Seu Júlio, o Renato não pode ir assim. Ele tem de levar alguma coisa minha para não se sentir sozinho.

Seus olhos disseram que sim. Tirei minha camiseta e a coloquei embaixo das suas mãos, junto com o terço. Novamente, beijei-o nos lábios.

– Temos de abrir as portas, Marcus.

– Só mais um minuto, pai.

Seu Júlio concordou.

– Tchau, cara. Tchau...

As portas se abriram. Muita gente entrou. As mulheres da reza voltaram.

"Ave Maria cheia de graça.
O senhor é convosco.
Bendita sois vós entre as mulheres.
Bendito é o fruto do vosso ventre, Jesus.
Santa Maria, mãe de Deus,
Rogai por nós, pecadores, agora e na hora da nossa morte.
Amém."

Ao ouvir que o caixão seria fechado, fui envolvido por uma força muito parecida com a do vento. Meu corpo continuava inerte enquanto minha alma se arrastava pelo chão. As pessoas se movimentavam como em câmera lenta. Gritos, choros, desmaios. Desespero. Empurrado para trás por um sopro de sentimentos descontrolados, me separei do abraço seguro de meu pai. Sozinho e quase fora do salão, acompanhei com os olhos, segundo a segundo, a tampa da morte selar a vida. Duas almas gêmeas foram estraçalhadas naquele instante.

29

Cinco Anos Depois

Meus pais se separaram poucos meses após a morte do Renato. Beatriz e Rafael moram com minha mãe; e eu, com meu pai. Me sinto feliz por ter um filho – levo Rafael todos os domingos para passear –, mas desde aquele triste acidente de carro, vivo apenas por viver. Não existe nada na Terra capaz de arrancar esse vazio do meu peito. A saudade é a pior coisa do mundo. Aos sábados à noite, geralmente converso com a Lua e, quando isso acontece, de frente à capela da família Assunção, espero o nascer do dia, sempre com uma dúzia de cravos brancos e uma rosa amarela nas mãos. Sentado nos degraus, divido com o orvalho frio da manhã o silêncio eterno da minha alma. Caminhando pelas estreitas alamedas do cemitério, espero por um milagre que nunca aconteceu. O silêncio da morte é enorme. O do meu coração, maior ainda.

Marcus Dório

Contato com o autor:

e-mail: terceirotravesseiro@gruposummus.com.br

Caixa postal: 62505, CEP: 01214-999

www.gruposummus.com.br
Acesse, conheça o nosso catálogo e cadastre-se para receber informações sobre os lançamentos.

www.gruposummus.com.br